T0116430

Printed in the United States
By Bookmasters

إن العدالة الجندرية لا تعني الدعوة إلى أن يكون الجنسان متماثلين، وإنما تعني الدعوة إلى إزالة المفاضلة بينهما حتى لو كان الجنسان مختلفين في أدوارهما وصفاتهما..........

الجندر

(الأبعاد الاجتماعية والثقافية)

الجندر

(الأبعاد الاجتماعية والثقافية)

تأليف

الدكتور عصمت محمد حوسو

2009

رقم الإيداع لدى دائرة المكتبة الوطنية
(2008/9/3423)

155
حوسو، عصمت
الجندر: الأبعاد الاجتماعية والثقافية/ عصمت محمد
حوسو. - عمان: دار الشروق، 2008
(   ) ص
ر. إ. : 2008/9/3423
الواصفات: علم نفس النمو//النوع الاجتماعي//الثقافة//علم اجتماع

● تم إعداد بيانات الفهرسة الأولية من قبل دائرة المكتبة الوطنية

ISBN 978-9957 - 00 - 383-3

- الجندر - الأبعاد الاجتماعية والثقافية .
- تأليف : الدكتوره عصمت محمد حوسو .
- الطبعة العربية الأولى : الإصدار الأول 2009 .

دار الشروق للنشر والتوزيع
هاتف : 4618190 / 4618191 / 4624321 فاكس : 4610065
ص.ب : 926463 الرمز البريدي : 11118 عمان - الاردن
Email : shorokjo@nol.com.jo

دار الشروق للنشر والتوزيع
رام الله - المصيون : نهاية شارع مستشفى رام الله
هاتف 2975632 - 2991614 - 2975633 فاكس 02/2965319
Email : shorokpr@palnet.com

■ الاخراج الداخلي وتصميم الغلاف وفرز الألوان و الأفلام :
دائرة الإنتاج / دار الشروق للنشر والتوزيع
هاتف : 4618190/1 فاكس 4610065 / ص.ب . 926463 عمان (11118) الأردن

الإهداء

إلى ميس ومحمد

وإلى...

كل امرأة ورجل يسعى كل منهما للتغيير

وتوظيف المعرفة لصالح البشر

المحتويات

الإهداء 5

الفهرس 7

المقدمة 13

الفصل الأول

التطور التاريخي لمفهوم الجندر

مقدمة 21

الجندر في الفكر الفلسفي اليوناني : 23

-أرسطو 23

- أفلاطون 25

-سقراط 27

- توماس هوبز 27

- جون لوك 28

- جان جاك روسو 29

الجندر في فكر الفيلسوف العربي ابن خلدون 32

الجندر في فكر رواد علم الاجتماع : 35

-أوجست كونت 35

- إميل دوركهايم 37

- فريدريك إنجلز وكارل ماركس 39

- ماكس فيبر 41

- هيربرت سبنسر 42
- تالكوت بارسونز 43
- هارييت مارتينو 45
- الجندر في الحركة النسوية 46
- الخلاصة 54

الفصل الثاني

الجندر : المفهوم والأبعاد الاجتماعية

مقدمة 59
مفهوم الجندر (النوع الاجتماعي) 61
مكونات الجندر: 74
- الجندر كمؤسسة اجتماعية 74
- الجندر على مستوى الافراد 76
- الجنس والجندر : 80
- الجندر والبيولوجيا 81
- التنشئة الاجتماعية الجندرية 82
- البنية الاجتماعية لمفهوم الجندر ومفهوم الجنس 83
مفهوم الجنس (النوع البيولوجي) 83
الخلاصة 89

الفصل الثالث

الجندر :عملية التشكل الاجتماعي

مقدمة	93
التصورات الجندرية	94
أبعاد التصورات الجندرية	94
مراحل التصورات الجندرية	95
العمليات التي تحدد التصورات الجندرية	95
النظام الأبوي وتطور مفهوم الجندر	101
التنشئة الاجتماعية وتطور مفهوم الجندر	111
مراحل عملية التنشئة الاجتماعية	112
مؤسسات التنشئة الاجتماعية وتطور مفهوم الجندر:	119
- الأسرة وتطور مفهوم الجندر	119
- المدرسة وتطور مفهوم الجندر	122
- الرفاق وتطور مفهوم الجندر	124
- الإعلام وتطور مفهوم الجندر	125
اللغة وتطور مفهوم الجندر	127
الخلاصة	130

الفصل الرابع

الاتجاهات النظرية لتطور مفهوم الجندر وأبعاده

مقدمة 133

أولا-النظريات البيولوجية 135

ثانيا-النظريات النفسية : 138

- نظرية التحليل النفسي 138
- نظريات العلاقات الشخصية 145
- نظرية التعلم الاجتماعي 148
- نظرية التطور المعرفي 152
- نظرية سيكما الجندر 155

ثالثا – النظريات الاجتماعية 158

- نظرية الدور الاجتماعي 158
- النظرية الإثنوميثودولوجية 160
- نظرية خصائص المكانة 162
- نظرية الفروق الجندرية 164
- نظرية التنشئة الاجتماعية الجندرية 166

رابعا – النظريات النسوية: 168

- النظرية النسوية الليبرالية 168
- النظرية النسوية الماركسية 176
- نظرية الصراع 180
- النظرية النسوية الاشتراكية 182

- النظرية النسوية الراديكالية 186
الخلاصة 192

الفصل الخامس

التدريب على مفهوم الجندر

مقدمة 197
أهمية مأسسة مفهوم الجندر وبشكل خاص في مؤسسة التعليم 199
تمرين رقم(1) : مقياس التفريق بين مفهوم الجندر و مفهوم الجنس 206
تمرين رقم(2) : مقياس الصفات الجندرية 208
تمرين رقم(3) : مقياس المهن الجندرية 210
تمرين رقم(4) : مقياس الاتجاهات الجندرية 213
تمرين رقم(5) : مقياس السلوك الجندري 216
تمرين رقم(6): مقياس المهارات الجندرية 219
الخلاصة 221

المصطلحات المرتبطة بمفهوم الجندر 223
الخاتمة 233
قائمة المراجع 241

المقدمة

جاءت فكرة هذا الكتاب أثناء مرحلة دراستي للماجستير في قسم دراسات المرأة في الجامعة الأردنية. وترسخت أثناء مرحلة الدكتوراة؛ وذلك لندرة المراجع العربية المتخصصة بمفهوم الجندر والدراسات الجندرية ، وبسبب التشويش والغموض الذي يحيط بهذا المفهوم بشكل كبير. فتفسيره يتم في الساحة العربية بصورة عملية ومن خلال التطبيق الميداني بشكل بعيد عن الأساس العلمي له أو عن كيفية تشكله وتطوره عبر الزمن والأجيال. كما أنه ينتشر بشكل مختلف باختلاف الثقافات والمجتمعات، وبشكل يرتبط بعملية التغير الاجتماعي المصاحبة للمجتمعات الإنسانية .

لقد استخدم مفهوم الجندر بداية في الساحة العربية تحت لفظ الجنوسة أو الجنسانية ومرادفات أخرى حتى تم الإجماع على تعريبه تحت لفظ " النوع الاجتماعي". وهذا اللفظ يقابل مفهوم النوع البيولوجي أو الجنس. وفي هذا الكتاب ارتأينا استخدام مفهوم الجندر في اللغة العربية كما هو في اللغة الإنجليزية للتعبير عن فحواه.

ومن هذا المنطلق تأتي أهمية هذا الكتاب كمحاولة علمية متواضعة لسد الفراغ العلمي في المكتبة العربية في هذا الإطار، وليشكل دليلا علميا للمهتمين والمهتمات بهذا المجال وبالدراسات الجندرية والنسوية.

وتبرز أهمية هذا المفهوم من أنه يتغلغل في كافة أنساق البناء الاجتماعي ومنذ ظهور المجتمعات البشرية. كما أنه يوجه مسار حياة الأفراد، ويبرز كيفية التعامل بينهم/هن. ويمكن تلخيص الأهداف الرئيسية لهذا الكتاب بما يلي-:

-تقديم تعريف شامل متكامل لمفهوم الجندر.

-القدرة على التفريق بين مفهوم الجندر (النوع الاجتماعي) ومفهوم الجنس (النوع البيولوجي.(

-إزالة الغموض والتشويش الذي يحيط بكل ما بتعلق بمفهوم الجندر وأبعاده.

-تقديم المفاهيم الأساسية وارتباطاتها واستخداماتها التي تشكل الأطر النظرية لمفهوم الجندر.

-الإشارة إلى أن المجتمع قائمٌ على الجنسين على الرغم من اختلافهما. وتوظيف هذا الاختلاف لتحقيق التكامل والتكميل بينهما وليس للمفاضلة، الأمر الذي يؤدي إلى إيجاد وخلق مجتمع متوازن.

-محاولة إيجاد مرجع باللغة العربية يستند على أسس علمية ومنهجية حول مفهوم الجندر.

-وأخيراً يهدف هذا المؤلف إلى تزويد القارىء/ة بمنظور جندري لكل ما يحيط بهما على أساس علمي انطلاقا من أن هناك وجهتي نظر لكل شيء : أنثوية وذكورية يجب أن تؤخذ بعين الاعتبار عند التحليل والتفسير والتأويل. مما يؤدي إلى بلورة الوعي بالذات والوعي بالآخر/الأخرى.

وإن هذه الأهداف لا يمكن أن تتحقق دون مساهمة القارىء/ة في أخذ كل ما ورد في هذا الكتاب بعين ناقدة، وعقل مفتوح يتقبل الفكر الآخر. ودون

توظيف المعلومات لتشكيل فكر محاور على أسس علمية، وربطها بالواقع، ومحاولة التغيير للأفضل.

ويقع الكتاب في مقدمة وخمسة فصول وخاتمة. يتناول الفصل الأول التطور التاريخي لمفهوم الجندر. ويستعرض وجهة نظر الفلاسفة اليونان القدامى حول دور ومكانة المرأة والرجل باعتبار أن مفهوم الجندر لم يكن بارزاً في تلك الفترة. وفي هذا الإطار كان لا بد من استعراض آراء ابن خلدون حول المرأة والرجل وأدوارهما في المجتمع باعتباره أحد أهم الفلاسفة العرب والأكثر تأثيراً في الفكر الاجتماعي الغربي؛ خاصة أننا لم نحظ بدراسات تحلل آراء ابن خلدون عن المرأة بشكل خاص أو آراء الفلاسفة العرب بشكل عام. ثم يتلو ما سبق استعراض لوجهة نظر رواد علم الاجتماع حول دور ومكانة المرأة والرجل أيضاً انطلاقا من معرفتنا بتأثر علم الاجتماع بعلم الفلسفة الذي كان الرافد الأساسي لجميع العلوم. وانطلاقا من إدراكنا بأن مفهوم الجندر منتوج اجتماعي ثقافي تطور بتطور الثقافة عبر الزمن. وأخيراً يتناول الفصل الأول تاريخ الجندر في الحركة النسوية. حيث ساهمت الحركة النسوية منذ القرن التاسع عشر في إلقاء الضوء على مفهوم الجندر وأبعاده من حيث اللفظة والفحوى ثم في انتشاره في كافة المجتمعات .

وأما الفصل الثاني فيناقش ماهية مفهوم الجندر، ومكوناته، وأبعاده الاجتماعية والثقافية، وكيفية تمييزه عن مفهوم النوع البيولوجي (الجنس) وذلك من خلال عرض لجميع وجهات النظر التي فسرت مفهوم الجندر، ومفهوم الجنس، ووضحت كيفية تميزهما عن بعضهما وبحثت فيما إذا كان المفهومان مرتبطين وينبني أحدهما على الآخر كسبب لوجود التمييز بين الجنسين سواء على أسس بيولوجية أو من حيث البنية الاجتماعية و الثقافية للمفهومين .

ويعالج الفصل الثالث التشكل الاجتماعي لمفهوم الجندر. وكيفية تطوره عبر عملية التنشئة الاجتماعية ومؤسساتها المختلفة بدءا بمؤسسة الأسرة، مروراً بمؤسسة التعليم والمدرسة كأول مؤسسة تعليمية ثم الرفاق وانتهاءً بمؤسسة الإعلام ومؤسسات المجتمع كافة. وذلك من خلال معالجة كيفية تشكل التصورات الجندرية، ومراحل تكوينها عند الأفراد، والعمليات التي تحدد تكوينها والتي تنعكس بدورها في الاتجاه ثم السلوك لا سيما وأنها تحدد بدورها عملية التفاعل الاجتماعي بين الأفراد.
ويستعرض الفصل الثالث دور النظام الأبوي الذي تقوم عليه المجتمعات كافة في ظهور وتطور مفهوم الجندر. وما ينبني عليه أثناء عملية التفاعل الاجتماعي بين الأفراد عبر الزمن وذلك من خلال إلقاء الضوء على اللغة وسيلة الاتصال والتواصل بين الأفراد منذ بدء الخليقة، وعلى دورها في تطور مفهوم الجندر مع تطور الثقافات المختلفة عبر التاريخ.

ويأتي الفصل الرابع بالاتجاهات النظرية كافة التي تعالج تطور مفهوم الجندر وأبعاده. حيث تم تصنيف هذه النظريات في أربع مجموعات: تعالج المجموعة الأولى تطور مفهوم الجندر من وجهة النظر التي تستند على أسس بيولوجية. أما المجموعة الثانية فتفسر لنا تطور مفهوم الجندر من وجهة النظر النفسية. وتأتي المجموعة الثالثة لتظهر لنا وجهة النظر الاجتماعية في تطور مفهوم الجندر. وأخيراً تظهر لنا المجموعة الرابعة من النظريات وجهة النظر النسوية في معالجة وتفسير تطور مفهوم الجندر. وبذا تشكل جميع هذه النظريات وجهة نظر متكاملة لكونها تقدم إطاراً شاملاً متعدد الأبعاد: البيولوجية، النفسية، الاجتماعية، والنسوية لتفسير كيفية تشكل وتطور مفهوم الجندر.

وأخيراً يتناول الفصل الخامس التدريب على مفهوم الجندر. حيث يستعرض لنا بعض التمارين التي توظف للتدريب على كيفية استخدام وتطبيق المفهوم سواءً على المستوى الفردي أو المؤسسي. كما تساعد هذه التمارين في الكشف عن نوع التصورات الجندرية للأفراد فيما إذا كانت تقليدية، أو غير تقليدية، أو متوازنة جندرياً. ويكشف الفصل الخامس عن أهمية إدماج مفهوم الجندر على المستوى المؤسسي مع إعطاء أولوية لإدماجه بمؤسسة التعليم بشكل خاص.

هذا ولم يغفل العمل عن تقديم المفاهيم والمصطلحات المرتبطة بمفهوم الجندر والتي تستخدم في الدراسات الجندرية والنسوية قبل التطرق للخاتمة وذكر قائمة المراجع.

ولا يمكنني هنا إلاّ أن أنحني احتراماً وشكراً واعترافاً بالعرفان لكل من ساهم/ت في إنجاز هذا العمل. بدءا من أسرتي التي منحتني الكثير من الوقت المخصص لها ووفرت لي ساعات قضيتها لإتمام هذا العمل. فلكل فرد فيها كل الامتنان والعرفان.

ومروراً بأساتذتي الأفاضل: الدكتور حلمي ساري لما خصصه لي من الوقت. فهو على الرغم من جميع مشاغله لم يتوان عن إبداء ملاحظات قيمة مكنتني من الخروج بعمل علمي مميز. والدكتورة أمل الصباغ التي تعجز الكلمات عن شكرها وتقديرها وإيجاد كلمات تليق بها. والدكتور موسى شتيوي صاحب الفضل في إلهامي بموضوع الكتاب والتوسع والاستزادة بمفهوم الجندر .

وأخيراً أتقدم بالشكر الجزيل لمركز دراسات المرأة في الجامعة الأردنية الذي كان له الفضل في وصولي لهذه المعرفة والخبرة في مجال دراسات الجندر.

كما أشكر كل من سهل/ت لي هذه المهمة وساهم/ت في إتمام هذا العمل المتواضع. جزى اللـه عنا الجميع كل الخير والمحبة .

و اللـه الموفق

دة. عصمت محمد حوسو

عمان 16/ 9/ 2008

الفصل الأول 1

التطور التاريخي لمفهوم الجندر

- مقدمة
- الجندر في الفكر الفلسفي اليوناني
- الجندر في فكر الفيلسوف العربي ابن خلدون
- الجندر في فكر رواد علم الاجتماع
- الجندر في الحركة النسوية

▪ مقدمة

إن مفهوم الجندر أو النوع الاجتماعي مفهوم حديث نسبياً. فقد ظهر على الساحة الدولية منذ إعلان العام الدولي للمرأة 1975 . وترسخ خلال العقد الدولي للمرأة (1976-1985) ؛ فبرزت الاهتمامات بضرورة معالجة الفجوات النوعية القائمة بين الرجال والنساء في العديد من المجالات التشريعية والصحية والتعليمية والمهنية والحياة السياسية وغيرها من أجل تحقيق عدالة النوع الاجتماعي. سواء على المستوى الدولي أو على مستوى الدول النامية عامة والوطن العربي بشكل خاص.

ويعتبر مفهوم الجندر مفهوماحديثامن حيث اللفظة، وقديمامن حيث الفحوى. غربي الجنسية، وشرقي الملامح. ففي السابق تحدث الفلاسفة وعلماء الاجتماع عنه من خلال حديثهم عن دور ومكانة كل من المرأة والرجل وصفاتهما، ونظرة المجتمع لهما، وما هو متوقع منهما في المجتمع تبعاللثقافة السائدة. لكن نتيجة لتطور المجتمعات البشرية بدءابارتباط الإنسان/ة بالأرض والزراعة، ومرورابالثورة الصناعية وما صاحبها من تغير في الأدوار المطلوبة من الجنسين، وانتهاءبما نشهده في الوقت الحاضر من الثورة المعلوماتية وثورة الاتصالات. رافق هذا التطور العلمي للمجتمعات

البشرية تطور على صعيد المفاهيم والمصطلحات وطرق تناولها وتحليلها؛ فبدئ باستخدام مفهوم الجندر أو النوع الاجتماعي ليعبر عن الدور والمكانة، وما يصاحبهما من خصائص اجتماعية ثقافية مبنية على أساس الجنس باعتبارها قد تستغل للتمييز بين الجنسين. وقد غدا هذا المفهوم مقابلاالمفهوم الجنس أو النوع البيولوجي. فالمفهومان ليسا مترادفين كما يختلط على الأغلبية وإنما متقابلان ويكمل كل منهما الآخر.

وسيناقش هذا الفصل تاريخ تطور مفهوم الجندر بدءابالفلاسفة، مرورابرواد علم الاجتماع، وانتهاءبالحركة النسوية في موجاتها الأولى والثانية والثالثة حتى ظهر مفهوم الجندر على الساحة الدولية وبدىء باستخدامه وتطبيقه .

■ الجندر في الفكر الفلسفي اليوناني

إن الفلسفة أم العلوم، والرافد الأساسي للكثير من العلوم الاجتماعية التي كانت جزءامنها ثم استقلت عنها فيما بعد. فكانت العلوم السائدة في بداية التطور المعرفي العلمي ثلاثة علوم فقط هي: الفلسفة، التاريخ، والرياضيات من العلوم التطبيقية. ثم تطورت المعارف ووجدت تخصصات علمية دقيقة في الجانبين : العلوم الاجتماعية، والعلوم التطبيقية.

وتوجد آراء متغايرة من النظريات الفلسفية التي حطت من قيمة النساء واعتبرتهن مواطنات من الدرجة الثانية، واعتبرت السمات الأنثوية أقل شأنا من سمات الذكور، كما اعتبرت أيضاالنشاطات التي تمارسها الإناث أقل أهمية من تلك التي يمارسها الذكور. وما زلنا نجد حتى الآن أعمالافلسفية سعت إلى تقسيم العمل على أساس الجنس، واعتبرت أن للنساء مجالافي الحياة يخصهن حتى في الأوقات التي تقوم بها النساء بأدوار الرجال. فالفلسفة السياسية والاجتماعية مليئة بسلسلة من التمييز بين الخاص والعام، وسنرى كيف نظر الفلاسفة اليونان القدامى لدور ومكانة كل من النساء والرجال .

*أرسطو (384 - 322 ق.م(

يعتبر أرسطو أن دونية المرأة هي نتاج لطبيعتها البيولوجية وأن وظيفة الأنثى الأولى هي الإنجاب. والسبب في ضرورة وجود الشكل الجنسي للإنجاب مرده إلى تفوق الصورة على المادة؛ فالذكر من خلال حيواناته المنوية يزودنا بالصورة - صورة النسل أو نفس الذرية - بينما الأنثى تزودنا بالمادة من خلال تدفق الطمث. وما دامت الصورة أفضل وأقدس من المادة فمن الأفضل انفصال الأعلى عن الأدنى، أي ضرورة أن ينفصل الذكر عن الأنثى.

وفي سياق حديثه عن سيطرة الرجال على النساء شبه النساء بصانع الناي، وشبه الرجال بالعازف الذي يستخدم الناي؛ وذلك لأن النساء بالطبيعة أدنى من الرجال، فمن الطبيعي أن يحكمهن الرجال.

ورأى أرسطو أن المرأة تشويه للإنسانية، فالأنثى قد تشكلت بدلا من الذكر بسبب انحراف في الطبيعة. وهذا الانحراف ضرورة تتطلبها الطبيعة. فلذلك تعتبر الأنثى مخلوقامشوهاحسب وجهة نظره. وهي أنثى بسبب نقص معين لديها في الصفات (الرايس،1995)، وهي ذكر مجدب أيضا؛ لأنها تقوم بدور الوعاء السلبي فقط في عملية التوالد. أما الذكر فهو يقوم بالدور الإيجابي النشط؛ لأنه يزود النسل الجديد بالروح ومبرر الوجود. في حين تزودنا الأنثى بالجسد. ونتيجة لما سبق عمد أرسطو للمساواة بين المرأة والأطفال من حيث عدم العقلانية. وكان يرى أنه من الضروري أن يحكم الرجال النساء وأن يكونوا مسؤولين عنهن.

وتحدث أرستوتيل عن الفروق الجندرية بين الجنسين من حيث الصفات. فكان يعتبر النساء حسودات، وكاذبات، ويتصفن بالافتراء، وأن شجاعتهن تعني الخضوع لأوامر الرجل والخنوع والطاعة؛ لأنه ليس من المناسب للمرأة أبداأن تكون قوية أو شجاعة أو ذكية أو بارعة. لأن هذه الصفات ليست ذات فائدة لإنسانة وظيفتها العناية بالمنزل، وإعداد الطعام والملابس لأسرتها. واعتبر أرستوتيل أن الطبيعة عندما لم تعط المرأة عقلاكاملالم تخطىء؛ لأن وظيفة المرأة لا تحتاج إلى هذا العقل الكامل. ومن هنا أعطى أرسطو الامتياز البدني والذهني والأخلاقي للرجل بسبب أفضلية وظيفته على وظيفة المرأة، وربط صفات الهدوء والسكينة والتواضع بالمرأة إيمانامنه بأنها تناسبها هي لكنها تعتبر مكروهة إذا ما وجدت عند الرجل. (أوكين،2002.(

وعلى الرغم من أن أرستوتيل كان تلميذ الفيلسوف بلاتو Plato إلا أن أفكاره كانت تختلف عن أفكار أستاذه، وعن أفكار الكثير من فلاسفة تلك الفترة. فقد

كان بلاتو يعتنق أفكارانسوية نسبياً. حيث كان يؤمن بأن النساء قد ينجزن بعض النشاطات بطريقة أفضل من الرجال، والعكس صحيح. فالمرأة التي تمتلك مؤهلات في نظره تستطيع أن تكون حاكمة. ولكن الفلاسفة أخذوا من أرستوتيل أكثر مما أخذوا من أستاذه بلاتو. (Matlin,1996)

وأما بالنسبة إلى وظائف الجنسين الجندرية، فيعتبر أرسطو أن وظيفة الرجل هي الجمع والتحصيل، أما وظيفة المرأة فهي الاحتفاظ والتخزين. فينظر أرسطو إلى أن تقسيم العمل التقليدي بين الرجل والمرأة يتفق مع الطبيعة اتفاقاتاماً.

وكانت عبارة "المرأة العاملة" تطلق على المرأة التي تعرف كيف تصمت وتخضع للأوامر، لذا كانت المرأة في أثينا القديمة في الحضارة اليونانية تعامل كالعبيد الأقنان، وهذا لم يمنع أنها تمتعت بنوع من الحرية نسبيافي بعض المناطق مثل إسبارطة ، حيث كانت تتحمل مسؤوليات أثناء غياب الرجال في الحروب، وهذا دفع أرسطو لانتقادها انتقاداشديداحينما حققت بعض الحقوق المدنية في الإرث، لأنه اعتبر أن الطبيعة قد فضلت الرجل الأكثر عقلا وكمالا على المرأة، ورأى أن وظيفة المرأة تقتصر على العناية بالأطفال والمنزل تحت سيطرة الرجل، وليس للمرأة من مجال في العمل السياسي. (لطفي،1993 ؛الرايس،1995.(

وإن تعريف أرسطو للمرأة أنها "رجل ناقص"، لا يختلف كثيراعما يتم تداوله اليوم من أن المرأة ناقصة عقل ودين. فتتصف فلسفة أرسطو بأنها هيراركية صارمة أبوية بطريركية، ويعتبر هذه الهيراركية بأنها طبيعية وضرورية لبلوغ هدف الحياة البشرية .

*أفلاطون (427 - 347 ق.م)

ينظر أفلاطون إلى النساء على أنهن أدنى من الرجال من حيث العقل والفضيلة، وأن استعداد المرأة الفطري أحط من استعداد الرجل؛ لذلك يجب

الفصل بين فوائد كل منهما. وقد صنف أفلاطون النساء كما كانت تصفهن الثقافة التي عاش فيها على أنهن جزء من الملكية الخاصة للأفراد. (أوكين،2002).

وكان أفلاطون يأسف بأنه ابن امرأة وظل يزدري أمه لأنها أنثى، وكان يرى أن الحب الحقيقي هو الحب الذي يكون بين رجل ورجل لأن الجمال في الشبان، وعلى المجتمع أن يكافىء الرجال المحاربين بأن يمنحهم نساءكمكافأة على شجاعتهم. واعتبر أفلاطون أن المرأة شريرة بطبيعتها، فالآلهة صنعت رجلا كاملا بشرط أن يحافظ على كماله، وإذا أخل فإنه يعاقب بأن يولد مرة ثانية في صورة امرأة. ولم يطبق أفلاطون على النساء الحجج نفسها التي طبقها عندما ناقش طبيعة الرجال. (الغذامي،1997. (

ويرى أفلاطون أن الزواج التقليدي وأن المرأة في دورها التقليدي كمدبرة للمنزل مدعاة للشقاق والفرقة والعداء كما أنها عائق أمام وحدة ورخاء المدينة، حيث يرى أن دور الأنثى التقليدي ينتج منطقيا بسبب حمل النساء وولادتهن .

ولكن أفلاطون غير رأيه فيما بعد عندما تحدث عن القوانين في المدينة الفاضلة حيث أكد أن جنس الإناث يجب أن يشارك جنس الذكور في التربية وفي كل شيء. كما أكد أنه سيجعل النساء في مدينته الفاضلة الثانية على قدم المساواة مع الرجال في تحمل واجبات المواطنة. وصرح أفلاطون في كتابه "الجمهورية" بأهمية تساوي النساء مساواة تامة بالرجال. وقد تحدث في هذا الكتاب عن نظام شيوعي يحيا في ظله حراس دولة المدينة الفاضلة من الذكور والإناث الذين يحبون المجتمع وليست لديهم مصالح أو اهتمامات خاصة سوى تحقيق رفاهية المجتمع كله. وهذا يتناقض مع ما ارتآه في كتابه "النواميس"

من ضرورة امتلاك الرجل للمرأة وعودتها إلى ممارسة الوظائف التقليدية. فقد صنف أفلاطون في هذا الكتاب الزوجات والأطفال مع القطعان وباقي الأشياء التي يمتلكها الرجل بناءعلى النظام الذي كان سائدافي أثينا في ذلك الوقت، والذي كان يعتبر النساء جزءا من ملكية الرجال الأحرار. وقد ربط أفلاطون بذلك بين الزواج والمرأة في دورها التقليدي بنظام الملكية الخاصة، وربط بين دور الزوجة الخاصة وبين أشكال الفساد في المجتمع؛ لأن الزوجات يحرصن على سعادة أنفسهن ولا يكترثن بسعادة المجتمع كله؛ وبذلك يسهمن في الإسراع من دورة انحدار المجتمع. واعتبر أن ذلك أكبر عائق في سبيل تحقيق وحدة المدينة الفاضلة، وبذلك تحدث أفلاطون في كتاب النواميس عن المجتمع التقليدي والأدوار التقليدية للنساء، وليس عما يجب أن تكون عليه النساء. (لطفي،1993).

*سقراط (469 - 399 ق.م(

لم تختلف آراء سقراط عن غيره من الفلاسفة. حيث كان يرى أن وجود المرأة هو مصدر للأزمة والانهيار في العالم. وقد شبه المرأة بالشجرة المسمومة التي يكون ظاهرها جميلا ولكن العصافير تموت عندما تأكل منها. (الرايس،1995.(

*توماس هوبز (1588 – 1679(

صرح هوبز أن الطبيعة الإنسانية واحدة وعامة لدى الرجال والنساء. وأن الحقوق الطبيعية في الحالة الطبيعية هي حقوق الأم. وهذا الأمر مرده اهتمام هوبز بأهمية التنشئة ضمن العائلة، فالعائلة عنده كانت مقدسة. وكان يؤكد على فضل النساء في إطار العائلة. وانطلاقا من قاعدة الحقوق أنكر هوبز اعتبار

الحقوق السياسية من حقوق الرجل لوحده؛ لأنه رأى أن الأم أولى بحق السيادة على الأبناء؛ لأنها تحملهم في أحشائها، لذلك يجب على الأطفال والرجال الخضوع للأم لأنها وحدها تستطيع إما أن تحفظهم أو أن تدمرهم .

وعلى الرغم من تصريح هوبز بأن السيادة في العائلة يجب أن تكون للأم إلا أنه صرح أيضابأن الأم لا تستطيع أن تكون قائدة انطلاقامن تصوره بأن نشوء العائلة قائم على التنازع لا التناسل، فتنتقل من ثم من السيد ومن الذين يخضعون لسيادته. وهنا يفترض أن الرجل في النهاية يعدو سيد العائلة لا المرأة؛ وذلك مرده أن العلاقة الجنسية في الحالة الطبيعية تتم بين رجل وامرأة حرين ومتساويين إما عن طريق التعاقد بينهما أو عن طريق تغلب الرجل على المرأة وأخذها بالقوة. وعندما تصبح المرأة أماتصبح سيدة بحكم أمومتها، ولكنها تتوقف عن التقدم أمام تقدم زوجها بعد أن كانت مساوية له. وهنا يصبح الرجل سيدافي العائلة؛ وبذلك تحل الحقوق الأبوية محل الحقوق الأموية. وقد قاد هذا لإيجاد الرجال الإطار الشرعي الذي جعل الحقوق السياسية حقوقاللرجل، ومكن الرجال من ممارسة السياسة وخلق وجه جديد للتاريخ على شكل مجتمع أبوي مدني؛ فأبدعوا الحقوق الزوجية هي في حقيقتها حقوق سياسية وجزء من القوانين المدنية وليست حقوق أوجدتها الطبيعية. (العزيزي،2005).

*جون لوك (1632 - 1704)

إن السمة الأساسية في فلسفة لوك هي إقصاء النساء عن مجال الحياة الاقتصادية؛ فقد طالب بالحرية والمساواة لجميع المواطنين. ودافع بشكل خاص عن حق التملك. وكان يهدف إلى ترسيخ حقوق المواطنين جميعا ضد سلطة الملوك المطلقة الذين كانوا يعتقدون أن من حقهم تقرير مصير ما يمتلكون من أشياء ومن أشخاص. وبما أنه ينطلق من مبادىء تفترض عدم وجود مساواة

طبيعية بين الجنسين؛ فإن فلسفته لم ترفع مستوى النساء عن مستوى الأشياء التي تمتلك، ويعني ذلك أن تبعية المرأة للرجل أمر معطى يجب التسليم به، وأن دور المرأة يجب أن يقتصر على الإنجاب والأمومة فقط. وهذا يجعلها تعتمد على زوجها من ناحية اقتصادية فلا يحق لها أن تمتلك، ولا أن تسأل عن نتاج أعمالها التي يديرها زوجها.

وهنا يؤكد لوك فلسفته الذكورية المخفية ضمنا وهي ضمان إدارة الذكور لمتطلبات الملكية خصوصا الإنتاج، واستفادة الذكور من ميراث زوجاتهم. وخلاصة القول إن عدم المساواة بين الرجال والنساء تعتبر سمة بارزة في نظرية لوك. (العزيزي،2005. (

*جان جاك روسو (1712 - 1778(

يقول روسو : يكون الرجال كما تريد النساء، فإذا أردتم ان يكونوا عظماء وفضلاء، فعلموا النساء ما هي العظمة والفضيلة.(كلاس،1996(

يرى روسو أن وظيفة المرأة حسية وفيزيقية، أما وظيفة الرجل وقدرته الكافية فترى من حيث الإبداع والعقلانية. ويصور روسو المرأة على أنها مصدر للشر والخطيئة وأن خضوعها للرجل هو العقاب الذي تستحقه. ويمثل على ذلك بالعقاب الإلهي الذي وقع على حواء فكان أن ارتبطت عملية الولادة لديها بالوجع .

وبما أن المرأة موضوعاجنسياللرجل فيجب عليها أن تكون خاضعة لعواطفها، وملبية لرغبات الرجل في المتعة. كما يجب عليها أن تكون مغرية ومثيرة. وفي الوقت نفسه عليها أن تكون مسؤولة عن السيطرة على رغباتها اللامحدودة بمعنى يجب أن تكون جنسية محتشمة وعفيفة. ويؤكد روسو على ضرورة الحكم والسيطرة المطلقة للأزواج على زوجاتهن وحصر النساء في المنزل

بعد الزواج، وضرورة الفصل بين الجنسين والعزل بينهما حتى داخل المنزل. فالتربية الأخلاقية التي تحتاجها النساء مختلفة ومعاكسة تماما عن التربية الأخلاقية التي يحتاجها الرجال. (أوكين،2002).

ويعلن روسو أن اللامساواة بين الجنسين والتي انعكست في القانون والعرف ليست من صنع الإنسان أو نتيجة لحكم مبتسر وإنما هي حكم العقل. وهو يبرر التفرقة المستمرة بين الجنسين بأن دور الأنثى هو الدور الطبيعي وليس شيئافرض عليها من خلال النظم الاجتماعية والثقافية والاقتصادية. فصفات الأنثى: كالخنوع، السلبية، الاعتماد على الآخرين، الاحتشام، الخجل، الجبن، الضعف ونقص العقل ليست من صنع المجتمع، وإنما هي خصائص طبيعية. وإذا كانت هذه الخصال ابتكارات اجتماعية فإن من مصلحة المجتمع أن تكتسب النساء هذه الخصال وأن تتم تنشئتهن عليها. وأي خروج للنساء عنها يعتبر إثما .

فالمرأة بسبب وضعها الثانوي في الحياة، ولأنها لا تملك الحق للتعبير عن مشاعرها مثل الرجل تكون مزودة بلغة بديلة وهي لغة الخداع والنفاق؛ وذلك حتى تتمكن من التعبير عن مشاعرها.

ويعتبر روسو أن المرأة تمتلك صفات فطرية أخرى: كاللطف والحنان والخضوع؛ وذلك حتى تستطيع أن تخضع للرجل وتتحمل ظلمه وتتحمل هذه المعاملة. وتميل المرأة بنظر روسو دائما وأكثر مما ينبغي إلى أن تكون كما يريد لها الرجل أن تكون. لذلك يجب أن تكون السلطة بيد الرجل. ويعتبر المرأة مخطئة إذا حاولت أن تشكو من ظلم اللامساواة التي فرضها عليها الرجل؛ لأن هذه المساواة ليست قانونابشرياوإنما قانون طبيعي وحكم للعقل. ونتيجة لكل صفات المرأة الفطرية فإن المرأة لا تصلح أن تعمل خارج إطار

الأعمال المنزلية. وتعود فلسفة روسو عن المرأة إلى تعلقه الثابت بالأسرة الأبوية. (أوكين،2002).

لقد وجد تعارض بين آراء روسو التي تدعو لعدم المساواة بين الجنسين وتركيزه على الهرمية، وبين آرائه التي تدعو للمساواة بين جميع المواطنين. حيث آمن روسو بأن تساوي الجنسين لا ينسجم مع بيولوجيا الإنسان/ة، فالرجل أقوى وأنشط، والمرأة أضعف. ومن هنا حثها على أن تكون خاضعة للرجل، وأن تكون متواضعة وخجولة لتتمكن من أسر الرجل واستعباده.

وقد رأى روسو أن توزيع العمل يجب أن يتم بأسلوب يتناسب وطبيعة جنس المؤدي/ة؛ فالمرأة لا تستطيع أن تنافس الرجل لأنه يتغلب عليها. وإن دخولها في المجال العام ينهك طبيعتها ويولد لدى الرجال الاعتزاز بالنفس والرغبة في الهيمنة عليها خاصة عندما تعمل في مجالاتهم وتأخذ مواقعهم .

ونتيجة لما سبق يقصر روسو دور المرأة على خدمة العائلة عاطفيا، لأن العلاقات العاطفية في العائلة هي أساس العلاقات العاطفية في الدولة. ويرى أن دورها الثاني هو تأكيد صلة الأمومة بمتطلبات الملكية الخاصة. فالملكية الموروثة يديرها الرجل، بينما تتفرغ المرأة لرعاية الأطفال وشؤون الأسرة. (العزيزي،2005).

○ ○ ○

الجندر في فكر الفيلسوف العربي ابن خلدون

في سياق حديثنا عن الفلاسفة اليونان القدامى واستنباط آرائهم حول أدوار المرأة والرجل التي تندرج تحت مفهوم الجندر في الوقت الحاضر لا بد وأن ننوه عن العلامة العربي والفيلسوف ابن خلدون، الذي كان الرافد الأساسي لأفكار جميع العلماء الذين جاءوا من بعده واقتبسوا منه واستقوا من أفكاره خصوصا علماء الاجتماع. فابن خلدون ليس فيلسوفااجتماعيافحسب بل هو عالم اجتماعي، وواضع علم الاجتماع على أسس حديثة. كما أنه يعتبر مؤسس علم الاجتماع الذي كان يسميه "علم العمران البشري". وقد جاء من بعده علماء الاجتماع الغربيين فأكملوا ما بناه، وسموا هذا العلم بعلم الاجتماع. وهنا تجدر الإشارة إلى أن علماء الاجتماع الذين جاؤوا بعده من الغربيين كانوا دائمامقصرين عنه في بعض النظريات الاجتماعية.

ونحن هنا لسنا بصدد الاستفاضة بأفكار الفلاسفة العرب وأفكار ابن خلدون حول أدوار المرأة والرجل بقدر ما نرى من أهمية بمكان للتنويه على الأقل لفيلسوف عربي كان له أثر كبير على أفكار العلماء من بعده في جميع مناحي الحياة. ولعل التوسع في أفكاره وأفكار الفلاسفة العرب حول مفهوم الجندر بحاجة إلى دراسات مستفيضة.

عبد الرحمن بن خلدون (1332 - 1406(

كان يشبه المجتمع بالكائن الحي - بغض النظر عن الجنس ذكر أو أنثى - فالمجتمع في نظره له عمر يمر به كعمر الفرد الذي يولد، ثم يكتمل نموه، ثم يهرم فيموت. وعلى هذا الأساس تمر الدولة بالمراحل التالية: بداوة، ازدهار، وتدهور.

وإن الدولة كانت المحور الأساسي الذي تدور حوله أبحاث ابن خلدون ونظرياته. وتمثل جوهر فكره في الدورة العضوية حيث يقول ابن خلدون في المقدمة أن: "الدولة لها أعمار طبيعية كما للأشخاص، ويرى أنها لا تعدو أعمار ثلاثة أجيال. والجيل هو عمر شخص من العمر الوسط، فيكون أربعين الذي هو انتهاء النمو والنشوء إلى غايته ."

واعتبر ابن خلدون أن لكل فرد في الدولة دوره ومساره الدقيق سواء في: الصنائع، الدين، السحر، العلوم الصرف، والآداب. ومن هنا لم يطرد أحدامن المدينة لكنه في الوقت نفسه لم يقل شيئاعن أدوار ممكنة للنساء فيها .

وفي حديثه عن الحضارة اعتبرها تفسد طباع البداوة، إذ يتجه أصحاب الدولة إلى الإسراف في التنعم، ويزهدون في العمل ويركنون إلى الدعة والسكون، ويخلدون إلى الراحة والشراب، ويكثرون من النساء ومعاقرة الخمر؛ فتزول هيبة السلطة من النفوس، وتكثر القلاقل والفتن، وتظهر المعارضة، ويتقوى الأعداء؛ فيفلت زمام الأمور، وتبدأ الدولة في السقوط؛ فتظهر جماعة أخرى من البدو تسعى إلى الملك والريادة وتحل محلهم. كأننا به هنا يشير إلى أن النساء لهن دور في مرحلة الفساد التي يمر بها الحكام، والتي تؤدي إلى انهيار الدولة وقيام دولة أخرى على أنقاضها. فالإكثار من النساء يؤدي إلى الدعة والسكون. هل يمكننا أن نستشف من ذلك بأن الابتعاد عن النساء وتهميش المرأة يبقي الدولة في قوتها ؟؟

يقول ابن خلدون في مقدمته:** (.. إن المغلوب مولع أبدابالإقتداء بالغالب في: شعاره، زيه ، نحله، وسائر أحواله وعوائده ؛ والسبب في ذلك أن

**انظر/ي في

-مقدمة ابن خلدون ، الفصل الثالث والعشرون، دار الجيل،بيروت.

النفس تعتقد الكمال فيمن غلبها وانقادت إليه ـ ويضيف في مقطع آخر ـ لذلك ترى المغلوب يتشبه دائمابالغالب في ملبسه و مركبه وسلاحه في اتخاذها وأشكالها ، بل وفي سائر أحواله، وانظر الى كل قطر من الأقطار كيف يغلب على أهله زي الحامية وجند السلطان في الأكثر لأنهم الغالبون لهم ، حتى أنه إذا أمة تجاوز أخرى ، ولها الغلب عليها ، فيسري إليهم من هذا التشبه والإقتداء حظ كبير كما في الأندلس لهذا العهد مع أمم الجلالقة.(-

وقد لفت العلامة العربي ابن خلدون النظر الى أن "الاختلاف في توزيع القوة والسلطة والامتياز في العالم يضطر الأضعف لتبني مفاهيم الأقوى". وربما طرحت هذه المقولة لتعالج مصالح القوة السياسية إلا أن هذه المقولة يتم توظيفها لتبرير دونية المرأة في المجتمع انطلاقامن أن المرأة اضطرت لضعفها لقبول تسلط الرجل، وللخضوع وفقد الكثير من الحقوق الإنسانية.

ويظهر ابن خلدون نتيجة لما سبق وكأنه يعتبر المجتمع قائماعلى الذكور، وكأن جميع نظرياته لا تصلح في تطبيقها إلا على مجتمع مكون من الرجال فقط، وأن المرأة جنس آخر لا وجود لها في مجتمعه وأنها مجرد وسيلة لإمتاع رجال السياسة الأمر الذي يؤدي إلى انهيار الدولة.

الجندر في فكر رواد علم الاجتماع

مقدمة

بعد استعراض آراء الفلاسفة حول مفهوم الجندر وما يرتبط به؛ وجدنا أن نظرة الفلاسفة للمرأة لا تختلف كثيراعن نظرة الأساطير لها؛ حيث رأينا مدى صرامة أفكارهم لصالح الرجل. إذ لاحظنا أن آراءهم كانت متأثرة بالوضع الاجتماعي والسياسي الذي كان سائدافي الفترة التي عاشوا فيها؛ فرضخوا بالتالي إلى سلطة الثقافة السائدة في عصرهم التي تفتح الفرص أمام الذكور، وتهمش الإناث، وتعتبر أن الرجال هم من ولدوا أحراراومتساويين وليس الجنس البشري كله، وقد أدى ذلك إلى عدم تساوي النساء بالرجال في الحقوق وإلى بقاء النساء مبعدات عن السياسة والمجال العام.

وبما أن الفلسفة هي أم العلوم والرافد الأساسي لها، وبما أن علم الاجتماع انبثق عن الفلسفة وكان جزءامنها؛ فقد كان من الطبيعي أن يعتبر الفلاسفة الرافد الأساسي لعلماء الاجتماع. وهذا إنما يدفعنا للتساؤل حول مفهوم علماء الاجتماع للجندر، إن كان قد اتفق مع ما جاء به الفلاسفة أم اختلف عنه. وإن حدث واختلف كيف كان الاختلاف؟

إن الإجابة على كل ما سبق هو ما سيناقشه الجزء الثاني من هذا الفصل.

*أوجست كونت (1798- 1857(

يعتبر كونت August Gomte أن الطبيعة أوجدت جنس الأنثى من أجل حفظ النسل. وهذا الأمر يضعها في مرتبة أدنى من الذكر. ومن هنا يجب على النساء أن يكن خاضعات للرجال وتابعات لهم؛ لأن النساء بحكم تكوينهن الأضعف فيزيقيا فهن أضعف وأدنى من الناحية العقلية من الرجال. ولتعويضهن عن ذلك منحتهن الطبيعة رقة المشاعر والعواطف.

ورفض كونت في مخيلته لمجتمع المستقبل أن يكون للنساء أية مشاركة في صنع القرار أو أية مشاركة سياسية لأن ذلك يتطلب عقلا وفكراموضوعياً. ومشاركة النساء في السياسة مناف للطبيعة مما يؤدي إلى دمارهن ودمار المجتمع ككل. (أوكين،2002).

ويرى كونت المؤسس لعلم الاجتماع أن المرأة تصبح تابعة للرجل من خلال المؤسسات المختلفة فور انتهاء مرحلة الطفولة والدخول في سن الرشد. ثم تصبح خاضعة تماما للرجل عند الزواج. وكان الطلاق غير وارد للنساء منذ أن أصبحن العبدات المدللات للرجال.

ونادى كونت بضرورة وجود نظام اجتماعي مستقر، وهو أمر لن يتحقق إلا بوجود السلطة الأبوية الدكتاتورية. حيث كان من مؤسسي وأنصار مذهب الوضعية Positivism الذي يؤكد على الاستقرار من خلال دوام واستمرارية وحدة العائلة القائمة على النظام البطريركي لصالح الرجل. وبناءعلى ما سبق يعتبر العلم الذي أسسه كونت على أساس الموضوعية والعقلانية متحيز جندرياً، الأمر الذي أدى إلى وجود ما يسمى بجندرة العلم Genderization of science بمعنى أن أفكار ونشاطات الذكور هي السائدة فيه.

) Moore, 1992 (Ollenburger &

وفي مقال لأوجست كونت بعنوان " الجمال والسمو في علاقة متبادلة بين الجنسين"، مثلت آراؤه إقصاءضمنياللمرأة؛ وذلك لأنه في هذا المقال ميز بين سمات الرجال وسمات النساء. وصرح أن الرجال يتسمون بالنبل، والسمو، والتفكير العميق، والرؤية المجردة، والفهم القائم على التعقل، والقدرة على إصدار الأحكام العامة، والالتزام بالمبادىء. وقد وصف النساء في هذا المقال بالرقة، والجمال، والمزاجية، والحنان، والتعاطف، والشفقة، والعدل، والشعور المرهف، والقدرة على فهم النوع الانساني خصوصا الرجال - كأننا به هنا يحصر

النوع الإنساني بجنس الرجال- والنزوع نحو عمل الخير، وعدم الالتزام بالمبادىء.

ولم ينف كونت قدرة المرأة على الفكر ولكنه رأى أنها لا يجب أن تمارس هذه الشؤون حتى لا تشوه أنوثتها، وهو بذلك يقصي المرأة من أن تكون فاعلا أخلاقيا، ويقصيها عن مبادىء الأخلاق والفضيلة. (العزيزي،2005. (

ولقد أكد كل ما سبق أن أوجست كونت متحيزاضد المرأة. وكان يقر بأن دور الأم ومسؤوليتها تنحصر في إعداد أطفالها ولكنه قصر هذا الدور في حدود المراحل الأولى لنمو الأطفال؛ لاعتقاده بأن النضج الأخلاقي والتكويني للمرأة قد توقف عند مرحلة الطفولة.

وتحددت أفكار كونت حول المرأة من خلال دراسته للمجتمع، ومكوناته، وطرق المحافظة على استقراره الذي يتحقق باستقرار الأسرة من خلال خضوع المرأة للرجل. فالأسرة في نظره هي الخلية الأولى في جسم التركيب الجمعي. وقد اعترف كونت بسمو المرأة من الناحية العاطفية الضرورية للاستقرار في حياة الأسرة. كما ركز على قاعدة الزواج المونوجامي وأهميته لنظام الأسرة الطبيعي ولنظام المجتمع، وكان لا يقبل الطلاق ويعتبره من عوامل الإخلال الأسري والمجتمعي. ولكن كونت عندما صنف الفئات الاجتماعية وفق مقياس تدريجي من الأهمية والتخصص الوظيفي استثنى النساء انطلاقا من أن مسؤوليتهن محصورة في إطار المسؤولية الأخلاقية المنزلية وإعداد الأطفال .(Giddens,2001) .

*إميل دوركهايم (1858- 1917(

اعتبر دوركهايم Emile Durkhiem أن المجتمع هو الذي ينتج الرجل

The product of society في حين أن الطبيعة هي التي تنتج المرأة The product of nature .فذوق الرجل، وطموحه، وروح الدعابة لديه من أصل اجتماعي. أما المرأة فهي متأثرة بطبيعتها. ونتيجة لما سبق تختلف احتياجات كل منهما، وتختلف هوياتهما، فالمرأة لم تنشأ اجتماعياوهي أقرب للطبيعة من الرجل. (Giddens,2001) .

ولم يتحدث دروكهايم عن المرأة بشكل خاص، ولكن تم اكتشاف رأيه فيها من خلال حديثه عن اللامعيارية الأنومي anomie، وعن التماسك الاجتماعي social cohesion أو التضامن الاجتماعي . social solidarity فتحدث دوركهايم عن المرأة في إطارين: الأول إيجابي فيما يتعلق بدور المرأة التقليدي في الزواج والعائلة والذي يؤدي بدوره إلى استقرار العائلة من خلال الوظائف التي تقوم بها. والثاني سلبي وهو ارتباط جنسانية المرأة sexuality بالظواهر الاجتماعية وهي الطلاق والانتحار. فللمرأة في نظره دور في الطلاق الذي يؤدي بالتالي إلى الانتحار، وهذان الأمران يؤديان إلى النظر إلى المرأة بأنها مختلفة عن الرجل من حيث الطبيعة البيولوجية لكل منهما، واعتبر دوركهايم أن هذا الاختلاف بين الجنسين نابع عن حالة دونية للمرأة inferior state.

وفي إطار العائلة تترك المرأة السلطة للرجل لأن العائلة بحاجة إلى رئيس. وتتضمن هذه السلطة السيطرة على المصادر الاقتصادية، وتقسيم العمل المبني على الجنس في العائلة.

وهذا الوضع يبقي المرأة في مكانة متدنية، ويبقيها في الحيز الخاص لتقوم بالأدوار الاجتماعية المبنية على الاختلاف في الاستعداد والقدرة وما هو متعارف عليه اجتماعيا. وهذا الأمر يعتبر دليلابالنسبة إلى دوركهايم فيما يتعلق بنسب الانتحار المتدنية للمرأة مقارنة بالرجل، والذي عزاه دوركهايم لعدم مشاركة المرأة في الحيز العام والنشاطات الهامة . (Ollenburger & Moore, 1992)

وربط دوركهايم بين دراسته للأسرة في طبيعتها وتطورها وتغير شكلها ووظائفها، وبين تغير مكانة المرأة وتطورها بشكل عام. وكان اهتمامه بضرورة استقرار الأسرة من أجل استقرار المجتمع من خلال تحليله لدور كل من المرأة والرجل فيها. ولذا اعتبر أن الأسرة هي مملكة المرأة. ولكي تستمر لا بد من أن يكون دور المرأة فيها التربية الأخلاقية والأمان العاطفي. أما الرجل فدوره هو العمل وتكوين جماعات وظيفية أو مهنية بدلا من الاهتمام بالواجبات المنزلية. (Giddens, 2001) .

وكان دوركهايم ينظر إلى الجندر من خلال اعتبار المجتمع وحدة متكاملة من حيث الوظائف الموكلة لأعضائه حسب المكانة التي يشغلونها. وكان مكان المرأة في نظره في المنزل. فتقسيم العمل يزيد بزيادة تقدم وتطور المجتمع. وبالتالي فإن أدوار كل منهما تصبح منفصلة ومتخصصة بشكل أكبر. ويكون لكل منهما وجود منفصل أيضا. وقد اعتبر دوركهايم أن تقسيم العمل المبني على الجنس أساسي وجوهري في العلاقة الزوجية حيث يعتمد كل منهما على الآخر من خلال علاقة متكاملة وتكميلية لأدوارهما. ففي الوقت الذي تقوم فيه المرأة في الوظائف العاطفية effective functions يقوم الرجل في الوظائف العقلانية intellectual functionsلذلك يعتبر أن الرجال يستفيدون في الزواج أكثر من النساء. كيف لا والزواج يمنحهم السكينة والهدوء وراحة البال. في حين لا تحتاج المرأة لهذا التأثير العاطفي باعتبارها أقل عقلانية وأكثر ارتباطابالأمور البيولوجية .
(Jackson & Scott, 2002)

*فردريك إنجلز (1820- 1895) وكارل ماركس (1818- 1883(

أشار إنجلز Friedrich Engels إلى أن المرأة لم تكن أمةللرجل في بداية تشكل المجتمع وإنما كانت تحتل منزلة محترمة جدا بسبب مشاركتها الفعلية له في العمل، وفي إدارة المنزل. وأكد أن نظام الإنتاج والملكية قد ساوى بين

سلطة الرجل والمرأة؛ فلم يكن الأب يعارض سلطة الأم؛ لأن مشاركتها معه اقتصاديا أكسبها حقوقا. ولم يكن الرجل يعارض أيضا نظام الوراثة الأنثوي؛ لأنه لم يكن يملك شيئاً، فقد كان كل شيء ملكاللقبيلة. والملكية كانت جماعية. ومن هنا لم يكن الرجل متفوقا على المرأة لا اجتماعيا ولا اقتصاديا. لكن دخول الإنسان/ة دور الحضارة، وتعلمهما الرعي، وظهور الملكية الخاصة، وتبدل نظام النسب ونقلها من الأم إلى الأب جعل الزواج يعتمد على اعتبارات اقتصادية مما أدى إلى انتقال العائلة إلى الشكل الأبوي، وإلى تغير وضع المرأة إلى ما سماه إنجلز "بالهزيمة التاريخية للجنس النسائي"؛ فانحسرت مكانة ودورالمرأة في وظيفة محددة هي المنزل ورعاية الأطفال. وجردت من أي سلطة أو نفوذ. ومنح الرجل حقوقا حرمت منها المرأة من خلال تطور العائلة وتطور المجتمع وتغيره. وتغيرت مكانتها بناءعلى تغير مفهوم العائلة والزواج وقيم المجتمع ووسائل الإنتاج. (إنجلز،1975(

وأما كارل ماركس Karl Marx الذي تأثر بإنجلز، فقد أشار إلى أن أول توزيع للعمل تم بين الرجل والمرأة هو تربية الأطفال. وقدم ماركس تحليلاللزواج في صورته الحالية واعتبر أنه عبودية أنثوية. حيث غدا الرجل رب الأسرة المالك والسيد. وماركس آمن بأن النظام الرأسمالي يظلم المرأة لأنه يعتبرها متاعا للرأسماليين وكأنها أداة من أدوات الإنتاج. أما النظام الاشتراكي فلا يعتبر المرأة متاعا أو إرثا أو ثروة وإنما إنسانة حرة. لها حريتها وعواطفها وآراؤها وحقوقها المتساوية لحقوق الرجل وهي ليست خاضعة لسيطرته الاقتصادية.

وإن الفروق الجندرية في القوة والمكانة بين الجنسين تعكس من وجهة نظر ماركس تقسيمات أخرى في المجتمع، خصوصا التقسيم الطبقي الذي أدى إلى سيادة الرجل وتملكه القوة على المرأة، فأصبحت المرأة ملكية خاصة له private property من خلال مؤسسة الزواج. وهذا واقع لن تتحرر منه إلا عندما ينتهي التقسيم الطبقي في المجتمعات. (Giddens, 2001)

ولقد اعتبر كل من ماركس وانجلز أن المجتمع الرأسمالي وتحديداالطبقة البرجوازية تنظر إلى المرأة على أنها أداة للإنجاب فقط . instruments of production ففي ظل المجتمع الرأسمالي توجد طبقتان: الطبقة الرأسمالية البرجوازية، وطبقة البروليتاريا. وهذا التقسيم الطبقي موجود أيضا في العائلة ففيها يمثل الرجل الطبقة البرجوازية المستغلة، في حين تمثل المرأة طبقة البروليتاريا المستَغلة .

رأى كل من ماركس وانجلز أن تقسيم العمل في العائلة يقوم على أساس الملكية الخاصة وعدم العدالة. فاضطهاد المرأة في فكر ماركس وانجلز يعود إلى العوامل الاقتصادية التي تشكل الأنساق السياسية والاجتماعية. ووضع المرأة في هذه الأنساق يمكن الطبقة الرأسمالية من استغلالها لصالح الرجل. (Ollenburger & Moore, 1992)

*ماكس فيبر (1864- 1920(

في تحليله لوضع المرأة في المجتمع، تحدث فيبر Max Weber عن تفاعل ثلاثة عناصر مع بعضها البعض لتحديد موقع الفرد ذكراكان أم أنثى في النظام الاجتماعي وهذه العناصر هي: الطبقة class ، المكانة status ، والقوة . power فالطبقة عنده هي الأساس الاقتصادي لوجود عدم العدالة بين الجنسين؛ لأنها تتمحور بشكل كبير حول الطبقة التي تملك، والطبقة التي لا تملك. وتبعالذلك تتحدد المكانة الاجتماعية وما تملكه من امتيازات. وهذه تمنح bestowed غالبا من خلال الخلفية العائلية، النشاطات المهنية، وأنماط الاستهلاك. والتي بناءعليها يتحدد شكل القوة التي يملكها الفرد ذكراكان أم أنثى استناداإلى ما يملكانه من حقوق وقوى سياسية. ويترتب على هذا التقسيم أن تحتل المرأة مكانة متدنية بسبب الدور الجندري الذي تقوم به. وبسبب عدم امتلاكها مصادر اقتصادية وحقوق سياسية؛ فالمرأة تقوم بدورها في

إطار العائلة فقط في رعاية الأطفال. ويتم تثمين هذا الدور، وتصبح له قيمة كأدوار الرجل إذا وجدت المرأة في مجتمع يعطي أهمية وقيمة كبيرة لدور الرعاية وللأدوار التي تقوم بها المرأة(Ollenburger & Moore, 1992) .

وساهم فيبر في دراسة مفهوم الجندر من خلال مفهوم البطريركية .patriarchy فقد اعتبر أن السلطة البطريركية من أقدم أشكال القوة الاجتماعية الشرعية. ففي المجتمعات التقليدية ما قبل الرأسمالية كان الرجال يملكون القوة التي لا تقتصر على النساء والأطفال فقط وإنما تمتد لتطال من هم أصغر سناً، والخدم والعبيد وكل من في إطار المنزل والمعتمدين عليهم. كما اعتبر فيبر أن هذه القوة هي نموذج للقوى الأخرى من مثل نظام الإقطاع الذي يفرض الولاء للحكام والملوك. ومن هنا آمن فيبر من أن حصر المرأة في إطار الأمومة والرعاية أمر طبيعي، وليس لذلك أي أهمية سوسيولوجية يجب الاهتمام بها. فمن وجهة نظره إن الرجل يسهل عليه ربط الأم والطفل في المجتمع. وإن الأب هو من يقوم بإضفاء صفة الحضارة على العلاقة بين الأم وطفلها وبين المجتمع .(Jackson & Scott, 2002) .

*هيربرت سبنسر (1820- 1903(

نادى سبنسر Herbert Spencer في كتاباته الأولى بأن يكون للمرأة حقوقامتساوية مع الرجل. ورفض نظام الزواج غير المتكافىء. ولكنه في كتاباته الأخيرة أعلن أن المرأة لو فهمت كل ما يحتويه العالم المنزلي لقصرت حياتها عليه، ولما رضيت بديلا عنه (Giddens, 2001) .

ونظر سبنسر إلى دور كل من المرأة والرجل في المجتمع باعتبارهما أجزاءايؤدي كل منهما دور خاص يؤدي إلى توازن المجتمع واستقراره انطلاقا من مبدأ العضوية .organicism وأشار إلى أنه غالبا ما نظر إلى دور المرأة في توازن

المجتمع من خلال وظيفتها في العائلة المتمثلة في رعاية الزوج والأطفال، فهذا الدور من وجهة نظره يحقق تكامل العائلة كوحدة في المجتمع، وبالتالي تكامل واستقرار المجتمع ككل. فالمرأة بوظيفتها كأم تعلم الفتيات أدوارها، ويتعلم الذكور العمل خارج البيت في مؤسسات المجتمع الأخرى، ويكون دورهم حلقة الوصل بين مؤسسة العائلة وباقي المؤسسات الاجتماعية الأخرى في المجتمع . ومن هنا تؤدي أدوار الأم والأب إلى التكيف الاجتماعي لأدوار وسلوكات الذكور والإناث فسيولوجياونفسياً.

ويعتبر مناصرو المذهب الوضعي positivism أن المرأة تختلف عن الرجل من حيث القدرات العقلية لأن دماغها أصغر حجما من دماغه. ولا يقبل الوضعيون أي تغيير في هذا التوزيع لأنه سيهدد استقرار المجتمع. فالتغيير من وجهة نظرهم يحدث فقط من خلال التطور الاجتماعي social evolution من داخل النسق نفسه؛ أما التغيير من خلال السلوك الاجتماعي أو الثورات أو الحركة النسوية أو أي نشاطات أخرى فينظر له على أنه يؤدي إلى إخلال توازن المجتمع disequilibrium وتشويش النظام الاجتماعي القائم.

ولقد تأثرت أفكار سبنسر بالدارونية، فكان دائما يطالب بوقف مطالبة النساء بحقهن فيما يتعلق بمنافسة الرجال على الوظائف والمهن والمناصب. وكان يعتبر أنه من الغباء تعليم المرأة ومنافستها الرجل في مجال التجارة والمناصب السياسية، لأنها تملك عقلاصغير الحجم ولأن جسدها ضعيف مقارنة بالرجل بالإضافة إلى أن المرأة إذا زاحمت أماكن الرجل فإنه لن يبقى من سيقوم برعاية البيت والعائلة(Ollenburger & Moore, 1992) .

*تالكوت بارسونز (1902- 1979(

يعتبر بارسونز Talcott Parsons أحد مؤسسي النظرية الوظيفية. ومن أكثر علماء الاجتماع الوظيفيين الذين كان لكتاباتهم عن المرأة تأثير كبير. فقد رأى

ضرورة وجود العائلة النووية في المجتمعات الصناعية. وأن تكون وظائفها قائمة على العزل بين الجنسين بحيث يكون الدور الأداتي للرجل، ويكون الدور التعبيري الاجتماعي المتمثل بالعاطفة socioemotional role للمرأة. ووجهة نظره تلك منبعها أن المجتمعات الصناعية بحاجة لوجود قوة عمل مدربة من الرجال، وأن على المرأة أن تبقى في الحيز الخاص لرعاية البيت والأولاد والزوج في حين يبقى الرجل في الحيز العام بسبب سهولة حركته مما ينتج فروقااجتماعية بين الجنسين (Ollenburger &Moore, 1992) .

وجادل بارسونز وبيلز عام Parsons & Bales1955 ، فيما يتعلق بالدور الجندري أنه يحافظ على توازن وتكامل وحماية العائلة، وذلك من خلال ربط العائلة مع المجتمع الخارجي والمؤسسات لتوفير الأكل والشرب والمسكن من ناحية، وتوفير الرعاية والحياة العاطفية الدافئة والحنان للزوج والأطفال داخل العائلة من ناحية أخرى. لذلك يجب توزيع الأدوار الاجتماعية بالنسبة إلى بارسونز كالتالي: الدور التعبيري expressive role والذي يجب أن يكون للمرأة التي توفر الدعم العاطفي والاهتمام بالأسرة، والدور الأداتي instrumental role المناط بالرجل والذي يتطلب القيام بالأعمال المهمة والشاقة والهادفة. (مليكة،1990 ; Lindsey,1994).

ويرى بارسونز أنه مهما تم الاعتراف بالتفاوت وعدم المساواة بين وضع المرأة ووضع الرجل فإن ذلك سيستمر، لأنه يعود إلى عدم تناسق العلاقات بين الجنسين مع البيئة الوظيفية .

وكان بارسونز واعياتماما بأن الانفصال الصارم بين العمل الخارجي والعمل المنزلي يولد مشكلات؛ لأنه يحرم المرأة من دورها كشريكة في عمل مشترك. فيصبح عملها نوعا من شبه الوظيفة.

وأكد بارسونز مراراعلى أهمية تقسيم العمل بين الجنسين لاستقرار المجتمع. فالمرأة تشغل أدواراتدعم أدوار الرجل: كالزوجة، والأم، والأخت،

والابنة. وتقوم بأدوار التربية والرعاية. في حين يقوم الرجل بتأمين الدخل. فهناك رابطة بين الأدوار الداعمة والأدوار التابعة المخصصة للنساء سواء داخل الأسرة أم خارج نطاق الأسرة، فدور الأم هو الدور التعبيري، أما دور الأب فهو القيادة الفعالة في الأسرة. (أوكين،2002.(

وكان بارسونز مهتمافي عملية التنشئة الاجتماعية للأطفال انطلاقامن إيمانه بأنها إن كانت مستقرة وداعمة للنظام الاجتماعي وتسير بشكل متوافق معه فإنها تكون ناجحة. وأن تقسيم العمل داخل الأسرة وفي المجتمع بين الجنسين يؤدي إلى زيادة التضامن في الأسرة. كما يرى بارسونز أن هذا التقسيم التكاملي للأدوار بين الجنسين ينبثق من الفروق البيولوجية، ويؤدي إلى استقرار العائلة وبالتالي استقرار وتكامل المجتمع والنظام الاجتماعي.
((Giddens, 2001.

هارييت مارتينو (1802- 1876(

في فترة وجود رواد علم الاجتماع الأوائل مؤسسي هذا العلم، كانت هناك رائدة في هذا العلم وذات مساهمات فيه لا تقل أهمية عن مساهماتهم خصوصا فيما يتعلق بأدوار المرأة والرجل هي.Harriet Martineau

ولكن كتاباتها يتم إقصاؤها في معظم كتب علم الاجتماع، وهو أمر ليس بغريب أن يحدث في عصر ركز على إنجازات الذكور، وفي عصر كان جل من كتبوا تاريخه هم من الذكور.

ونتيجة حتمية لما سبق نجد أن معظم دارسي/ات هذا العلم بالذات في الوطن العربي لم يسمعوا/ يسمعن عنها.

ومن خلال التدقيق في حياة هارييت سواءالخاصة في طفولتها أو في حياتها العملية، نكتشف حقيقة شعورها بالظلم والتهميش الذي طال المرأة والفئات المستضعفة في المجتمع، الأمر الذي جعلها تركز على هذه الفئات

مؤكدة أن تحليل ودراسة المجتمع لا يمكن أن تتم بمعزل عن فهم حياة المرأة. وقد ساهمت مارتينو بشكل كبير في الحركة النسوية الغربية بالذات في انجلترا.

ولقد اعتبرت هارييت أن المنزل الذي ألصق بالمرأة وحددت وظائفها وصفاتها النمطية في إطاره فقط، هو المدرسة الحقيقية لتعلم صفات الرعاية، والحنان، والعواطف. وبناءعلى ذلك يجب على الرجل تبادل الأدوار مع المرأة في المنزل ليتعلم هذه الأخلاق والسلوكات الجيدة . (Giddens, 2001) .

الجندر في الحركة النسوية

مقدمة

بدأت الحركة النسوية في الفكر الغربي في القرن التاسع عشر، وصيغ مصطلح النسوية لأول مرة في العام 1895 ليعبر عن تيار ترفده اتجاهات عدة، ويتشعب إلى فروع عدة. وقد كان ظهورها بفضل جهود حركات المقاومة لتبعية النساء للرجال التي برزت في انجلترا في القرن السابع عشر، ثم امتدت في كل من فرنسا والولايات المتحدة. وحدث في هذه الفترة تغيرات اقتصادية وسياسية كبيرة أدت إلى تغيير العلاقات التقليدية التي حددت المجتمع ما قبل الصناعي. فتطورت الرأسمالية الصناعية في انجلترا، وتبنت كل من فرنسا والولايات المتحدة الأنظمة السياسية القائمة على أساس الديمقراطية التمثيلية مما أدى إلى تغيير المعنى السياسي والاقتصادي للعائلة التي تبدلت أحوالها. وتمزق مركز المرأة التقليدي فيها. حيث فقدت النساء من الطبقات العليا نفوذهن السياسي مع انحدار العائلات الأرستقراطية وانبثاق الحكم

الديمقراطي. وتقوض الأساس الاقتصادي لنساء الطبقات الدنيا حين نقلت الحركة الصناعية أعمالهن التقليدية من البيت إلى المصنع .

ومع تناقص مساهمة النساء في الأسرة اقتصاديا من خلال أعمالهن التقليدية الفعالة مثل إنتاج الطعام، وحياكة النسيج، وصناعة الملابس؛ تزايد اعتمادهن وخاصة غير العاملات منهن على أزواجهن؛ فالتغت بالتالي قوتهن في الأسرة مقابل ازدياد قوة الرجال وهيمنتهم (العزيزي،2005). مما أعطى الرجل قوة سياسية اقتصادية واجتماعية في المجتمع، وتسبب في تناقص حقوق المرأة سياسيا اقتصاديا واجتماعيا الأمر الذي أدى إلى تهميشها، ووضعها بمرتبة متدنية عن مرتبة الرجل. وأخيراظهرت في تلك الفترة أصوات النساء اللواتي طالبن بحقوقهن المسلوبة وحشد التأييد لمطالبهن. وتبلورت هذه المطالب فيما بعد وتطورت الحركة النسوية بموجاتها الثلاث.

الجندر والنسوية

شكل مفهوم الجندر حجر الأساس في النظرية النسوية المعاصرة لذا تبنته مفكرات الحركة النسائية في النصف الثاني من القرن العشرين وسعين للتفريق بينه وبين مفهوم الجنس. وقد صاغ مفهوم الجندر عالم النفس (روبرت ستولر) لكي يميز المعاني الاجتماعية والنفسية للأنوثة والذكورة عن الأسس البيولوجية للفروق الجنسية الطبيعية التي خلقت مع الأفراد .

وتعني النسوية" feminism كل جهد نظري أو عملي يهدف إلى مراجعة واستجواب أو نقد أو تعديل النظام السائد في البنية الاجتماعية الذي جعل الرجل هو المركز، هو الإنسان، والمرأة جنسا ثانياأو آخراً، في منزلة أدنى. تفرض عليها حدود وقيود، وتمنع عنها إمكانات النماء والعطاء فقط لأنها امرأة. وتبخس خبراتها وسماتها فقط لأنها أنثوية. فتبدو الحضارة في شتى مناحيها إنجازا ذكوريا خالصا يؤكد ويوطد سلطة الرجل وتبعية وهامشية المرأة. فالأنثوية

feminine تعني اكتشاف الذات وهي مرحلة متقدمة من النسوية". (شيفرد،2004).

بدأت الموجة الأولى من الحركة النسوية الغربية للمطالبة بحقوق المرأة العامة التي يتمتع بها الرجل. ودأبت على تأكيد المساواة بين الجنسين، وأن الفوارق النوعية للمرأة هامشية ولا تجعلها أقل، ولا تحول دون تلقيها العلم وممارستها العمل والحياة السياسية والتصرف في أموالها مثل الرجل. فقد حاولت الموجة الأولى الاقتراب من النموذج الذكوري السائد كنموذج حضاري للإنسان/ة. وكانت مفكرات وفلاسفة هذا الجيل: (ماري ولستون كرافت، جون ستيوارت ميل، هارييت تايلور وغيرها) متأثرات إلى حد كبير بآراء إنجلز وماركس، لذا سعين إلى نقد النظام البطريركي، ووصفه بأنه نظام قمع اجتماعي يقوم على أساس إعلاء جنس الذكور . وقد امتد أثر هذه الموجة إلى الشرق على يد رواد ورائدات عصر النهضة أمثال رفاعة الطهطاوي، قاسم أمين، نظيرة زين الدين، وهدى شعراوي. وكان العمل على صياغة التصور الإسلامي لتحرير المرأة العربية.

ففي الحرب العالمية الأولى ذهب الرجال إلى الحرب في أنحاء أوروبا واضطرت المرأة إلى النزول إلى مواقع العمل التي خلت منهم، فأدته على أكمل وجه. وكانت النتيجة أن المرأة أخذت حقوق المواطنة في انجلترا، نيوزلندة، أمريكا، والاتحاد السوفيتي. ومهدت الطريق لغيرها لنيلها في بقاع أخرى من العالم. كما ارتفع حق تعليم المرأة بدرجات متفاوتة في العالم.

إن هذه الموجة الأولى من الحركة النسوية في الفكر الغربي هي حركة اجتماعية وسياسية أولا وأخيراً، وحتى العام 1920 كانت قد حققت المرأة الكثير من حقوقها وأهدافها. ثم دخلت النسوية مرحلة كمون نسبي لأن العالم

كان منشغلا آنذاك ببوادر الحرب العالمية الثانية ثم بعواقبها بينما العالم الثالث يواجه الاستعمار من خلال حركات التحرر القومية .

وأما الموجة الثانية من الحركة النسوية فكانت في الستينات من القرن المنصرم في أمريكا، وظلت مرتبطة بأصولها الاجتماعية والسياسية. ففي تلك الفترة اشتد عود الليبرالية الأمريكية التي تدعو إلى المساواة في الحقوق بعد نجاح تحجيم التفرقة العنصرية والأصوات المناهضة لحرب فيتنام وحركة الطلبة الشهيرة بالمظاهرات لحرق الكعوب العالية ومشدات الصدور، والثورة ضد مسابقات ملكات الجمال وكافة ما يحصر المرأة في مجال أنوثتها فقط.

وفي تلك الفترة التي كانت فيها المرأة الأمريكية في الستينات تكافح من أجل نيل بعض حقوقها كانت المرأة في بعض الأقطار العربية قد حصلت عليها كمصر وسوريا وتونس، مثل المساواة بين الجنسين في الالتحاق بالجامعات، والمساواة في فرص ممارسة العمل المهني والبحث العلمي، والأجر المتساوي للجنسين لقاء العمل نفسه، وتوفير الحكومة لحضانات الأطفال للمرأة العاملة خلال ساعات العمل الرسمية.

وظهر مفهوم الجندر في الموجة الثانية من أعمال منظري ومنظرات الحركة النسوية خلال تحليلهن للعلاقات الاجتماعية، وبحثهن عن أسباب هيمنة الذكور على الإناث. فكانت تلك النسويات يؤمن بأن الجنس طبيعة بيولوجية ثابتة في البيئة الوراثية. أما الجندر فهو ليس طبيعة بيولوجية وإنما نتيجة لسيرورة اجتماعية تحدد الأدوار والسمات بطرق مختلفة باختلاف الثقافة (جامبل،2002). ففي هذه المرحلة انتقد فلاسفة الحركات النسوية التشريعات القانونية المجحفة بحق النساء. وقد أدى استخدام مفهوم الجندر إلى انبثاق نوعين من التنظير: الأول يقول بوجود ماهية ثابتة لكل جنس، وبتأثير العوامل البيولوجية على الطبيعة البشرية ويمثل هذا الاتجاه كل

من: ماري دالي ـ سوزان غريفن ـ مارلين فراي وغيرهن، والثاني يرفض وجود ماهية ثابتة ويؤكد تأثير العوامل الاجتماعية على الإنسان/ة ويمثله كل من: جولييت ميتشيل ـ ساندرا بارتكي- بيتي فرايدن، كيت ميليت، وغيرهن . وقد غالى كل اتجاه في تقديره تأثير عامل واحد على سلوك الفرد. فالاعتقاد بحتمية بيولوجية أدى إلى المغالاة في تعظيم الصفات الأنثوية وفي تقدير أهمية جسم المرأة إلى درجة اختزال المرأة في حدود الجسد. واختزال الجسد في حدود بعده الجنسي. والثاني بالغ في تقدير العامل الاجتماعي، وفي تفسير الفروق الطبيعية ،والنفسية، والفيزيولوجية، والبيولوجية بين الجنسين بالاختلافات الاجتماعية والسياسية.(العزيزي، 2005(

وتأثرت الموجة النسوية الثانية واستلهمت أفكارها من الفيلسوفة الوجودية سيمون دي بوفوار في كتابها "الجنس الآخر عام 1949"، وقد كان هذا الكتاب الرافد الأساسي لها، والنافذة التي أطلت عليها مفكرات هذه المرحلة. حيث حاولن تصور مجتمع يخلو من التمييز والقمع، واتهمن الفلاسفة الذكور بأنهم وظفوا مبدأ العقلانية لإقصاء النساء عن المجالات المعرفية متعامين عن رؤية مفكرات مثل ولتسون كرافت وسيمون دو بوفوار.

وأكدت سيمون في هذا الكتاب أن المرأة لا تولد امرأة، وإنما تصبح امرأة. فهي مصنوعة اجتماعيا بفضل المجتمع الذي يقوم بصياغة وضع الأنثى. وتعتبر سيمون الأم الكبرى للفلسفات النسوية المعاصرة.

وكانت تسمى الموجة الأمريكية الثانية بالنسوية الجديدة؛ لأنها اكتسبت نضجا فكريا. فكانت تهدف إلى البحث عن إطار نظري أعمق وأشمل من مجرد المطالبة بالمساواة مع الرجال وطبقا للنموذج الذكوري السائد للإنسان الرجل. ففي هذه الموجة تم التأكيد على ضرورة إعادة اكتشاف النساء لأنفسهن كنساء، ومن ثم صياغة نظرية عن هذه الهوية النسوية أي الأنثوية وتحولاتها الممكنة.

وقد أمكن تحقيق ذلك بفضل التطور المعرفي، وتطور مناهج البحث والنساء الأكاديميات القادرات على إخراج بحوث متعمقة في ذلك .

فالنسوية الجديدة هي اكتشاف وبلورة للأنثوية. وقد عمد لاختراع مصطلح "مركزية العقل الذكوري Pallogocentrism " الذي يبلور القيم الذكورية المهيمنة على الحضارة، وتتلخص فكرة هذا المصطلح "مركزية العقل الذكوري الغربي" حول قدرته على قهر ثالوث الأطراف، فقهر المرأة، وقهر الطبيعة، وقهر شعوب العالم الثالث. لذلك فإن النسوية الجديدة فلسفة لهذه العناصر الثلاثة: المرأة، الطبيعة، تحرر القوميات. ومن هنا تعتبر فلسفة بعد استعمارية وبعد حداثية كما أنها ترفض التفسير الذكوري الوحيد المطروح للحضارة، وتحاول تقديم تفسير آخر يبرز دور المرأة وقيمها الأنثوية. (شيفرد،2004).

والفرق بين الموجة النسوية الأولى والثانية يكمن في أن الأولى تعتبر إحدى تجليات الحداثة التنويرية والتي كانت أيضاأيديولوجيا الاستعمار بمثلها العقلانية التي تجسد الذكورية. حيث عملت على طمس خصوصيات المرأة والاقتراب بها من النموذج الذكوري لكي تنال بعض حقوق الإنسان التي كانت حكراعلى الرجل. أما الموجة الثانية أي النسوية الجديدة - وهي نسوية ما بعد الحداثة - فأبرز ما يميزها هو نقدها للنموذج العقلاني الذكوري للإنسان/ة، ورفض انفراده في الميدان كمركز للحضارة الغربية التي جعلها المد الاستعماري نموذجا للحضارة المعاصرة بأسرها. فالموجة الثانية تختلف وتتناقض مع الموجة الأولى بتأكيدها على اختلاف النساء عن الرجال، وبسعيها الدؤوب لاكتشاف وإبراز وتفعيل مواطن الاختلاف، وما يميز الأنثى والخبرات الخاصة بالمرأة التي طال طمسها وحجبها مما أدى إلى وجود خلل في الحضارة. (شيفرد،2004).

وبعدما حققت الموجة الثانية من الحركة النسوية الغربية بعض من مطالبها بدئ استخدام مفهوم الجندر ؛ فأصبح الحديث عن الجنسين بدلا من الحديث

عن المرأة وحقوقها. وفي هذه المرحلة لعبت مقولة الجندر دورامهما في التحليل والنقد النسوي.

ويعود الفضل إذن إلى النسوية Feminism التي تعتبر أن المرأة لا تعامل على قدم المساواة لا لأي سبب سوى كونها امرأة في المجتمع الذي ينظم شؤونه ويحدد أولوياته حسب رؤية الرجل واهتماماته. وفي ظل هذا النموذج الأبوي تصبح المرأة هي كل ما لا يميز الرجل. أو كل ما لا يرضاه لنفسه. فالرجل يتسم بالقوة، والمرأة تتسم بالضعف. الرجل يتسم بالعقلانية، والمرأة بالعاطفية. الرجل يتسم بالفعل، والمرأة بالسلبية. ويؤدي إقران المرأة بالسلبية إلى إنكار حقها في دخول الحياة العامة، وفي القيام بدورها في الميادين الثقافية على قدم المساواة مع الرجل. لذلك ظهرت النسوية كحركة تعمل على تغيير هذه الأوضاع لتحقيق تلك المساواة الغائبة. (جامبل،2002).

وظهرت بعد ذلك حركة ما بعد النسوية Post-Feminism أو الموجة الثالثة من الحركة النسوية. وقد تميزت بتأثر فلاسفة الحركات النسوية بآراء فلاسفة ما بعد الحداثة من مثل فوكو ودريدا. حيث شكل نقد هؤلاء الفلاسفة لمفهوم العقلانية، ولمركزية العقل، وللتعريف الواحد للحقيقة حلقة الوصل بين الفكر النسوي، وفكر ما بعد الحداثة. وحفزت آراء فوكو المفكرات على تقديم المذهب النسوي على أنه علم مواجهة يتحدى حصر الإنسانية بالذكر والتعريف الجندري للذكورة. ووجدت بعض المفكرات في آراء دريدا التي تحمل فكرانسوياوموضوعات تتعلق بالنساء عناصر مناسبة لبناء النظرية النسوية. وتعتبر ما بعد النسوية أحدث حلقة من حلقات التنوع في ملامح الفكر النسوي الذي يتسم بالتحول والتغير المستمر. وتسير هذه الحركة على النهج النظري للموجة النسوية الثانية في دراسة العلاقات المثمرة عن مرحلة ما بعد الحداثة؛ بقصد الجمع بين مختلف طرق صياغة، وتشكيل شخصية ودور المرأة في أي مجتمع.

وتعتبر (نعومي وولف، جوديث بتلر) من النسويات البارزات في حركة ما بعد النسوية. (جامبل،2002 ؛ العزيزي، 2005).

ولقد اتهمت النسوية بأنها اعتبرت أن جميع النساء واحد، ولكن هذا ليس ناجم عن اختلاف وجهات النظر النسوية فيها وإنما لأن المجتمع أيضا يعتبر الأنوثة جنساواحداونوعاواحداوشعوراواحداً. ولأن ما تفعله أي من النساء يكون صفة لهذا الجنس. خصوصا الأفعال الجسدية النمطية. على النقيض من الرجال الذين يتصفون بالتنوع والتعدد، وتكون صفاتهم أنواع مختلفة وأفعالهم نسبية. فالثقافة تحرم الأنوثة من التنوع والاختلاف، وتحصرها في صور نمطية تلغي فردية المرأة وتجعلها نموذجا لنوعها. (الغذامي،1997).

الخلاصة

يتضح من خلال ما ورد في الفصل الأول مدى تأثر الفكر الاجتماعي بالفكر الفلسفي، وعلى الرغم من أننا لمسنا شيئاجديدافي كتابات رواد علم الاجتماع فيما يتعلق بنظرتهم للمرأة والرجل، إلا أنها بقيت محافظة على عدم اختلافها كثيراعن مفاهيم الفلاسفة ونظرتهم للمرأة التي اقتربت من نظرة الأساطير لها. وقد لاحظنا أن آراءهم كانت متأثرة بالوضع الاجتماعي والسياسي الذي كان سائدا في الفترة التي عاشوا فيها. فرضخوا بالتالي إلى سلطة الثقافة السائدة في عصرهم التي تفتح الفرص أمام الذكور، وتهمش الإناث، وتعتبر أن الرجال هم من ولدوا أحرارا ومتساويين وليس الجنس البشري كله. وقد أدى ذلك كله إلى عدم تساوي النساء بالرجال في الحقوق وإلى بقاء النساء مبعدات عن السياسة والمجال العام.

فأعمال علماء الاجتماع الأوائل اعتبرت المرأة رجلاناقصاورأت أنها تفتقر إلى العقلانية التي يتسم بها الرجل، كما اعتبرت اللغة اللاعب الرئيسي في ترسيخ هذه الفكرة؛ لأن اللغة قامت على أساس الهوية الجندرية التي خلقت الوضع المتدني للمرأة. ومن هنا فدورها كبير في عملية التنميط الجنسي. وإن مقولة العقلانية التي تعتبر صفة ملازمة للرجل والمتجذرة في اللغة هي التي أدت إلى تدني وضع المرأة. وقد اعتبر علماء الاجتماع الوظيفيين كسبنسر ودوركهايم وبارسونز وكونت أن طبيعة المرأة تؤدي إلى تقسيم العمل على أساس هايراركي. فيكون الرجل بيده السلطة وعلى رأس الهرم، وتبقى المرأة تحت سيطرته العقلانية من خلال نسق العائلة البطريركية، وأنساق البناء الاجتماعي الأخرى. وفي هذه الحالة يعتبر النظام الأبوي **Patriarchy System** تطوراطبيعيا كشكل من أشكال التنظيمات الاجتماعية الذي يحمي المرأة من طبيعتها

الدونية، ويحقق وظائف المجتمع وأهدافه وبالتالي يحافظ على استقراره واستمراره.

وهكذا يتضح تهميش المرأة في الفكر الفلسفي والاجتماعي. ولأن التاريخ يركز على إنجازات الذكور وهم أيضا من كتبوه؛ أهملت من تاريخ الفكر الاجتماعي أول عالمة اجتماع :هارييت مارتينو .Harriet Martineau على الرغم من أن لهذه العالمة الفضل في إدخال علم الاجتماع إلى انجلترا وترجمة كتابات أوجست كونت من الفرنسية إلى الإنجليزية وكانت النتيجة أن إنجازاتها لم تذكر مثل إنجازات رواد هذا العلم وأقصيت .

ونتيجة لتهميش المرأة وسلبها حقوقها، ونتيجة للتغير في الظروف السياسية والاقتصادية التي أدت إلى تغيير العلاقات التقليدية تغير المعنى السياسي والاقتصادي للعائلة، وتمزق مركز المرأة التقليدي فيها. حيث فقدت النساء من الطبقات العليا نفوذهن السياسي مع انحدار العائلات الأرستقراطية وانبثاق الحكم الديمقراطي، وتقوض الأساس الاقتصادي لنساء الطبقات الدنيا حين نقلت الحركة الصناعية أعمالهن التقليدية من البيت إلى المصنع. فالتغت بالتالي قوتهن في الأسرة مقابل ازدياد قوة الرجال في الأسرة وفي المجتمع. الأمر الذي أدى إلى تبلور الحركة النسوية وتطورها عبر ثلاث موجات للمطالبة بحقوق النساء العامة، والمشاركة السياسية والاقتصادية الفعالة في المجتمع.

وتجلت مطالب الموجة النسوية الأولى بنيل بعض حقوق الإنسان التي كانت حكراعلى الرجل. وقد اقتربت من النموذج الذكوري السائد والمرتبط بالعقلانية. أما الموجة الثانية أي النسوية الجديدة وهي نسوية ما بعد الحداثة فأبرز ما يميزها هو نقدها للنموذج العقلاني الذكوري للإنسان/ة، ورفضها انفراده في الميدان كمركز للحضارة الغربية، وتأكيدها على اختلاف النساء عن الرجال، وعملها على اكتشاف وإبراز وتفعيل مواطن الاختلاف. ثم جاءت

الموجة الثالثة من الحركة النسوية أو ما بعد النسوية التي تعتبر أحدث حلقة من حلقات التنوع في ملامح الفكر النسوي. وسارت هذه الحركة على النهج النظري للموجة النسوية الثانية في دراسة العلاقات المثمرة عن مرحلة ما بعد الحداثة؛ بقصد الجمع بين مختلف طرق صياغة وتشكيل شخصية ودور المرأة في أي مجتمع.

وكان للموجة النسوية الثانية نسوية ما بعد الحداثة الفضل في بدء ظهور واستخدام مفهوم الجندر. فبعد أن حققت بعض من مطالبها أصبح الحديث يتناول الجنسين بدلا من الحديث عن المرأة وحقوقها. وفي هذه المرحلة لعبت مقولة الجندر دورامهمافي التحليل والنقد النسوي.

الفصل الثاني 2

الجندر: المفهوم والأبعاد الاجتماعية

- مقدمة
- مفهوم الجندر (النوع الاجتماعي)
- مكونات الجندر
- الجنس والجندر

مقدمة

يعود تاريخ دراسة مفهوم الجندر في علم الاجتماع إلى الموجة الثانية من الحركة النسوية. وقد كان المفهوم في البداية يدرس تحت عنوان "علم اجتماع المرأة " Sociology of Women ، ولكنه بعد ذلك أصبح موجوداً في علم الاجتماع ويدرس تحت اسم الجندر حيث أصبح "علم اجتماع الجندر . Sociology of Gender "

وكان علم الاجتماع يتهم بأنه علم متحيز للذكور؛ لأن الاهتمام والدراسات كانت منصبة ومركزة على الرجال لدرجة دفعت عالم الاجتماع برنارد Jessie Bernard للتساؤل فيما إذا كان بإمكان علم الاجتماع أن يكون علماً للمجتمع بأكمله بما فيه الذكور والإناث وليس فقط دراسة للمجتمع الذكوري. ونوه سميث Smith أيضاً إلى ضرورة تركيز علم الاجتماع على المرأة لأن ذلك سيثير الاهتمام، ويؤدي إلى التغير الاجتماعي المطلوب لصالح المرأة.

وقد انتقل مفهوم الجندر لاحقا بفضل علماء الاجتماع المحدثين والمعاصرين من الهامش ليصبح من المواضيع الرئيسية في هذا العلم Gender Mainstream ، وسعى لتأكيد أهمية البنية الاجتماعية لمفاهيم الذكورة والأنوثة وتوجيه النظام الاجتماعي للعلاقات بين الرجل والمرأة.(Wharton,2005) .

وعندما بدأ الاهتمام بدراسة الجندر كان يسمى هذا الحقل بالأدوار المبنية على الجنس .sex-roles وكان التركيز على اتجاهات الأفراد وخصائصهم/هن. وكان المهتمون/ات في المفهوم يعتبروا/ن أن ما يتعلمه الأطفال من الأهل، المعلم/ة، الكتب والصور الموجودة فيها، تشكل اتجاهاتهم/هن نحو الذكورة والأنوثة وتكون شخصياتهم/هن المناسبة للأدوار المناطة بهم/هن حسب الجنس. وعلى الرغم من التغير الاجتماعي الذي يصيب البناء الاجتماعي في كافة المجالات إلا أن خصائص الأدوار المبنية على الجنس خصوصا دور المرأة في رعاية الأطفال تبقى ثابتة مدى الحياة . (Lorber,1994) .

وعليه، فإننا في هذا الفصل سنقدم تعريفا مفصلاً للمفهوم، وكيفية تناوله، واستخدامه، والأبعاد الاجتماعية والثقافية له، وذلك من خلال عرض مكوناته. ونظراً للغموض الذي يحيط بالمفهوم ونتيجة للخلط بينه وبين مفهوم الجنس أحياناً سنقدم تعريفا للمفهومين يبرز الفرق بينهما .

مفهوم الجندر : (النوع الاجتماعي)

استخدم لفظ الجندر Gender من قبل آن أوكلي وغيرها من المهتمات/ين في السبعينات، لوصف خصائص الرجال والنساء المحددة اجتماعياً مقابل الخصائص المحددة بيولوجياً. وقد رأت Ann Oakley أن الشعوب والثقافات تختلف بشكل كبير في تحديدها لسمات الذكورة والأنوثة، وبالتالي فإن الفصل بين مفهومي الجنس والجندر يختلف من ثقافة إلى أخرى. (Oakley,1998) .

وثم ظهر مفهوم الجندر على الساحة الدولية منذ إعلان العام الدولي للمرأة (1975), وترسخ هذا المفهوم خلال العقد الدولي للمرأة (1976-1985)؛ فبرزت اهتمامات في العديد من الدول النامية بضرورة معالجة الفجوات النوعية القائمة بين الرجال والنساء في العديد من المجالات التشريعية، والصحية، والتعليمية، والمهنية، والحياة السياسية، وغيرها من أجل تحقيق ما يسمى بعدالة النوع الاجتماعي). Gender Equity اليونيفيم, 2001. (

وعلى الرغم من وجود فروق بيولوجية بين الجنسين والأمر الذي يدخل ضمن مفهوم النوع البيولوجي (الجنس). إلا أنه لا يمكن الفصل بين البيولوجيا والحياة الاجتماعية فهما مرتبطتان. فلا يمكن النظر للجندر على أنه خصائص فردية بل على أساس أنه مجموعة من الصفات والسلوكات التي يمتلكها الأفراد منذ الولادة بجنس معين. فالجندر يتضمن الاختلافات وعدم المساواة بين الجنسين.

ولنستطيع فهم مفهوم الجندر يجب أن نأخذ بعين الاعتبار ثلاث نقاط هامة:

.1الجندر عملية process اجتماعية، وثقافية. بمعنى أن عملية إنتاجه وإعادة إنتاجه تتم باستمرار. وهو يتواجد بشكل مختلف تبعاً للثقافات

والزمان. حيث يمارس على شكل أدوار وسلوكات ولا يعبر عنه في الكلام فقط.

Its enacted or done not merely expressed

.2 الجندر نظام system من الممارسات المتشابكة ويوجد بشكل مستقل عن الأفراد، فمفهوم الجندر ليس خصائص لأفراد characteristics of individuals وإنما مجموعة من الصفات والسلوكات تظهر في جميع مستويات البناء الاجتماعي، ويتمثلها الأفراد منذ الولادة حسب الجنس. بمعنى أنه ظاهرة متعددة المستويات مما يمكننا من اكتشاف كيف تقوم العمليات الاجتماعية كالتفاعل الاجتماعي، والمؤسسات الاجتماعية، وأنماط العمل في تجسيد embody وإنتاج مفهوم الجندر.

.3إن تعريف مفهوم الجندر يعود إلى أهميته في تنظيم علاقات عدم المساواة بين الجنسين، في حال كانت الفروق البيولوجية تؤدي إلى عدم المساواة الجندرية، فهو بعد هام جدا يتم بناءً عليه توزيع القوة والامتيازات في المجتمع . (Wharton, 2005)

يولد البشر ذكوراً أو إناثاً، ومن خلال التعلم يجعل المجتمع منهم صبية وبناتاً. ثم يصبحان فيما بعد رجالاً ونساءً. وعندها يجري تلقينهما مبادىء السلوك، وتحدد لهما المواقف والأدوار، والنشاطات المناسبة للنوع البيولوجي، والكيفية التي يتواصلان فيها مع الآخرين. وهذا السلوك المكتسب بالتعلم أثناء عملية التنشئة الاجتماعية يشكل الهوية الجندرية ويحدد الأدوار الجندرية. وتفاوت أدوار الرجال والنساء حسب تفاوت الثقافات يجعل من الجندر مفهوماً دينامياً كنتيجة لدينامية الثقافة. فالإنسان/ة لا يولد/تولد شخصية جاهزة، لا بطبيعة أنثوية ولا بطبيعة ذكرية، وإنما يتطور البشر في نشأتهم الفردية من خلال عملية الأخذ والعطاء مع المحيط الاجتماعي والجنساني والطبقي. وذلك عبر

اكتساب الشروط الاجتماعية المميزة. حيث يتواجه البشر مع هذه الشروط في شكل تجارب اجتماعية تجسدت في أشياء وأفعال. وتطورت هذه الأشياء والأفعال بتأثير مختلف الشروط الاقتصادية والاديولوجية، وتبعا للعلاقات الاجتماعية في شكلها التاريخي الملموس والمرتبط بوظيفتها الطبقية والجنسانية. ونخلص إلى أن مفهوم الجندر مبني ثقافيا، ويتم التعبير عنه اجتماعيا من خلال مفاهيمنا وتصوراتنا التي بنيت مع الوقت حول هذا المفهوم. ومن هنا هو يعكس طبيعة المجتمع من خلال التواصل بين الأفراد الذكور والإناث وما يحملونه من معتقدات واتجاهات . (Visser,2002) .

وإن كلمة جندر Gender بالإنجليزية، تقابل كلمة Genre بالفرنسية وتدل على النوع الاجتماعي بالعربية. ويقر المفهوم بوجود الاختلافات والتنوع في الأدوار بين الجنسين حسب ما هو سائد في الثقافة. وهو لا يطالب بإلغاء مثل هذا التنوع ولكنه يشترط أمرين الأول: وجود مساواة في قيمة الأدوار التي يقوم بها الجنسان، ومساواة في مكانة كل منهما. بمعنى أن لا يكون هناك موقف معياري يقوم على القيادة والتبعية. أو على التثمين والتبخيس. والشرط الثاني أنه يجب أن ننظر إلى الوقائع من زاوية الإناث والذكور معاً، لا من زاوية جنس واحد فقط. فيجب أن لا نتوقع أن وجود مؤلفات إناث للنصوص يعني بالضرورة رؤية الوقائع من زاوية الإناث فقط؛ لأنه قد توجد إناث يتبنين الزاوية الذكورية والموقف الذكوري أحياناً. والعكس صحيح فقد يوجد ذكور يتبنون الزاوية الأنثوية والموقف الأنثوي. وخلاصة القول إن مفهوم الجندر يشترط أن يؤخذ المعيار والبعد التحليلي لأي موضوع كان من زاوية الجنسين معاً وينظر لأدوارهما المختلفة باختلاف الثقافة، والزمان، والمكان من قاعدة التكامل والتكميل وليس المفاضلة. (الأمين،2005؛وليامز،2000).

ويشير مفهوم الجندر في الفكر الصيني إلى yin وتعني النمط الأنثوي، مقابلها yang وتعني النمط الذكوري. وتشكل كلتا الصورتين الوظائف لكل منهما. أما العلاقة بينهما فهي علاقة تبعية على نحو تبادلي أي أن العلاقة بين جسمانية الجنس البيولوجي والجنس المجتمعي هي العلاقة بين الذكورة والأنوثة في الفكر الصيني. وتمثل بدورها الإطار الثقافي الاجتماعي القائم الذي يعتبر أن النساء والرجال ولدوا متغايرين/ات مما أوجد إمكانية للتوالد والتناسل بينهما، وأن مجموع الأدوار الاجتماعية التي يقوم بها كل من الرجل والمرأة تساهم في بناء الحضارة والتقدم الاجتماعي. فالإطار الطبيعي لا يمكن فصله عن الإطار الاجتماعي تبعاً لهذا المفهوم تماماً مثل عدم انفصالهما عن الينغ واليانغ. فثقافة الينغ واليانغ ترفض أن تعيد عدم المساواة المجتمعية إلى سيطرة الذكر أو أنانيته. هذا وقد وجدت عوامل أخرى مسؤولة عن عدم التكافؤ حسب هذه الثقافة. فقد يأتي يوم تختفي فيه الفوارق المجتمعية بين الرجال والنساء حسب ثقافة الينغ واليانغ. في حين تبقى الصفات البيولوجية التي تجعل الرجل رجلا ومن المرأة أنثى موجودة. ومن هنا تؤكد لي كيسياو جيانغ على أن ثقافة الينغ واليانغ أوسع من اللفظة الغربية "الجندر" والتي سمته ب"جنسانية الجنس المجتمعي ". (جيانغ،2005).

وكانت النساء قديما يعتبرن رجالاً ينقصهن العقل، كما تنقصهن الحرارة الحيوية التي تؤدي إلى الاكتمال وتدفع الأعضاء التناسلية إلى الخارج. فكانوا قديما يتحدثون عن المرأة والرجل بلغة أحادية. ثم وجدت فيما بعد الثنائية التي تقوم على الأدوار الجندرية للجنسين. وأصبحت الثقافة العربية تفصل بين المرأة والرجل في هذه الأحادية التي تعتبر أن الأنثى حتى تصبح امرأة وتنتمي إلى الجنس الأنثوي يجب أن تظهر على الدوام مهيأة لرغبة الرجال وخاضعة لسطوتهم ومطيعة لإرادتهم . (بن سلامة،2005).

وإن مصطلح الذكورة masculine والأنوثة feminine المشتق من لفظة رجل man وامرأة woman تستخدم للإشارة إلى التصورات الاجتماعية أو الثقافية أو النفسية. أما صفات أنثى female وذكر male فيمثلان الجوانب البيولوجية والهوية المستمدة من النوع. فالبعض رأى أن هوية الرجل وهوية المرأة ثابتة ومحددة بيولوجيا. أما الفكر المضاد الذي يقوم على فكرة مفادها أن النظام الأبوي يضع المرأة موضوع "الآخر"، فتشير المرأة بذلك إلى الاختلاف الجنسي. ولكن لا يعتبر ذلك هوية ثابتة ومستقرة، فلا يوجد ذات مذكرة في جوهرها ولا ذات مؤنثة في جوهرها، وإنما تتشكل الذات عن طريق المحاكاة التي تحافظ على هوية النوع. ويقودنا هذا لتأكيد أن مفهوم الجندر أو النوع تذكيرا أو تأنيثا عبارة عن تصور اجتماعي. (جامبل،2002).

وقد ركزت دراسات الجندر أو النوع الاجتماعي في السابق على الدعوة لإدراك وفهم حقوق المرأة وذلك في محاولة لانتزاع القوة من الرجال. وأبرزت هذه الدراسات المرأة كشخصية ضحية وتابعة. ثم استثنت احتياجات الرجال لصالح المرأة. ولم تهتم أيضا باهتمامات ومصادر قلق الرجال. ولكن فيما بعد وجد اتجاه يقوم على الدمج القائم على أساس جندري Gender Mainstreaming وذلك لتعزيز المساواة الجندرية بين الجنسين في جميع الأنشطة والمجالات كتطوير السياسات، إجراء الأبحاث، استقطاب التأييد والدعم، إيجاد الحوار، التشريعات، تخصيص وتوزيع الموارد، التخطيط، وتنفيذ المشاريع والبرامج ومراقبتها .

ولا يسعنا أن نغفل الإشارة إلى أن اهتمام العالم بمفهوم الجندر قد ازداد خلال النصف الثاني من القرن العشرين؛ وذلك بسبب انتشار وسائل الاتصال الأمر الذي أدى إلى انفتاح الثقافات على بعضها مما أظهر الفروق في الأدوار الاجتماعية لكلا الجنسين في هذه الثقافات. وتكونت هيئات دولية مختصة

لمتابعة هذا التباين بين الثقافات وتحليل أسباب ذلك، ثم محاولة إصلاح هذا الخلل من خلال اتخاذ الإجراءات اللازمة وتعديل التشريعات والقوانين كمحاولة لإيجاد الوسائل اللازمة لتطوير العلاقة في أدوار الجنسين للأفضل، بحيث تتحقق العدالة الجندرية بينهما، وتنعكس الفائدة بذلك على جميع أفراد المجتمع.

ويحاول مفهوم الجندر أن يسد الفجوة بين العام والخاص حيث يرتبط العام بالرجل، ويرتبط الخاص بالمرأة. فمن المعتاد أن يتم التقليل من قيمة عمل المرأة العام بسبب دورها في الرعاية والتغذية للأسرة، لكن قد يحدث العكس فتهمل الأسرة بسبب العمل العام. وهذا يوضح أهمية المفهوم وسبب الاهتمام العالمي والمحلي به لخلق نوع من التوازن بين الخاص الذي ينطلق من دور المرأة في الأسرة، وبين العام الذي ينطلق من دورها في الوظيفة العامة أو في المجتمع. (عضيبات وبهو،2004).

وإن الناس كائنات اجتماعية. والبيولوجيا هي ذريعة فقط لتعيين هوياتهم/هن الجنسية في المجتمعات البطريركية تحديدا. فالدور الذكوري هو دور الجنس المسيطر بينما الدور الأنثوي هو دور الجنس المضطهد. والتأنيث عبارة عن مجموعة من الصفات والحالات إذا تمثلها الجسد النسوي فهو مؤنث وإلا فهو خارج الأنوثة؛ لذلك يعتبر التأنيث مفهوماً ثقافياً وتصوراً ذهنياً وليس قيمة طبيعية جوهرية. وهذا المفهوم مكتسب من المعطى الثقافي؛ لذلك فهو متحول وقابل للزوال. ولقد تم استغلال الفروق البيولوجية بين الجنسين من خلال الدور الإنجابي للمرأة الذي أصبح سبباً رئيسياً لتكريس دورها في الإنجاب ورعاية الأطفال والزوج فقط الذي حجبها من ثم عن المشاركة في الحياة العامة لفترة طويلة من الزمن. نتيجة لما سبق أصبح الاهتمام بمفهوم الجندر ضرورة ملحة لأنه يولي اهتماماً للطرق التي أنتجت فيها الثقافة السائدة

في مكان وزمان ما تعريفاً للذكورة والأنوثة كقطبين متعارضين ومختلفين، مع وجود الذكر في موقع القوة والسيطرة. (الغذامي،1997).

وليست الأنوثة مناقضة للذكورة ولا الذكورة هي مضاد للأنوثة، فكلاهما مفهومان مستقلان عن بعضهما. ويستطيع أي من الجنسين أن يتحلى بسمات الذكورة والأنوثة معاً. فالرجل مثلاً يستطيع وإن كان خشنا وعدوانيا أن يمتلك الدرجة نفسها من الرعاية، وكذلك الأمر بالنسبة إلى المرأة. أما اذا بقينا ننظر إلى الجنسين على أنهما متعاكسان ومتناقضان فإن ذلك يولد ما يسمى " بالاستقطاب الجندري Gender Polarization "الذي يؤدي بدوره إلى اعتبار كل جنس جنساً مناقضاً للآخر، الأمر الذي يتسبب في معاداة كل جنس للجنس الاخر وفي محاولته وسعيه للسيطرة أو القضاء عليه. والعكس صحيح، فلو أننا تجاوزنا الاستقطاب الجندري ونظرنا إلى الجنس الآخر على أنه مختلف فقط فسيتولد لدينا اتجاه يدعو لضرورة التعاون والتكامل بين الجنسين من ثم التنافس نحو الارتقاء للأفضل وليس القضاء على الآخر. ونخلص من خلال ما سبق إلى ضرورة وجود قاعدة للتعامل بين الجنسين تكون قائمة على قاعدة التكامل والتكميل لا على القوة والأفضلية.

وأما عن تعريف الثقافة لكل من الذكورة والأنوثة فمحدد بسمات أصبحت حكراً على كل جنس. والراصد لسمات الأنوثة يجدها تتمحور حول ثلاثة أمور أولها الرعاية والحنان من مثل: محبة الأطفال، التضحية، التفهم، العاطفية. وثانيها العلائقية وتشمل: التسامح، سعة الصدر، اللطف، الإخلاص. وثالثها المتلقية والسلبية وتشمل: الهدوء، القناعة، المحافظة على التقاليد، والتواضع. وهذه السمات يرغب الجنسان معااتصاف المرأة بها. وتعتبر هذه السمات أنثوية لا يستطيع الرجل التحلي بأي منها لأنه سيعتبر حينها منحرفاً عن المعايير الجندرية المرسومة وبالتالي سيتم وصمه. (بيضون،2004).

وتعتبر جوديث بتلر (Judith Butler 2004) أن الجندر ليس نمطاً ثابتا fixed category، وإنما نمط مرن fluid category فهو يظهر في سلوكات الناس أكثر مما يظهر في طبيعتهم/هن .

ويعتبر الجندر شكل مهم من أشكال التدرج الاجتماعي الطبقي، وهو عامل محدد للفرص المتاحة للجنسين في أي مجتمع. كما أنه يعكس الأدوار الاجتماعية للجنسين في المؤسسات الاجتماعية المختلفة بدءاً من المنزل حتى مراكز صنع القرار. وعلى الرغم من أن أدوار كل من الرجل والمرأة تختلف من ثقافة إلى أخرى إلا أن مركز الرجل دائماً أعلى من مركز المرأة. والأدوار التي يقوم بها الرجل تكون مقدرة ومثمنة بدرجة تفوق تلك التي تقوم بها المرأة. وبما أن تقسيم الأدوار يتم بناءً على قيمتها، فنجد أن دور المرأة ينحصر في الحيز الخاص بما يشمله من الرعاية وتربية الأطفال. أما الأدوار الإنتاجية في الحيز العام وأماكن صنع القرار فتكون من نصيب الرجل. والغريب أن الإنجازات التي حققتها المرأة في العقود الأخيرة لم تنه عدم المساواة الاجتماعية الجندرية.(Giddens,2001) .

وقد أثبتت بعض الدراسات النفسية الحديثة لمكونات الدماغ على أساس الجنس brain-sex أن الجندر ليس نتاجاً لممارسات التربية المناسبة حسب الجنس للأطفال فقط، وإنما هناك نقطة أبعد من ذلك أيضا مبنية على بيولوجيا الإنسان/ة. التي تفرز فروقاً بيولوجية وفسيولوجية ثم نفسية. الأمر الذي يتفاعل مع البيئة الخارجية لتشكيل الجندر الخاص بكل جنس، ويؤدي إلى إفراز مفهومين متميزين عن بعضهما وهما:-

1. الهوية الجندرية gender identity والتي تحدد السلوك الذي يرغب كل من الجنسين أن يسلكه بطريقة معينة تناسبه

2. الدور الجندري gender role وهي الأدوار التي يتم أداؤها بناءً على ما يناسب النوع البيولوجي . (Govier,1998) .

وإن هذه الفروق البيولوجية بين الجنسين، والتي تؤثر على بناء الهوية الجندرية والأدوار الجندرية فيما بعد، على الرغم من أهميتها إلا أن ذلك لا يلغي أهمية العوامل الاجتماعية المحيطة بعملية التنشئة الاجتماعية والتي تؤثر في تحديد الصفات والمهن المناسبة للجنسين. فممارسة الأعمال والطباع نفسها يومياً تؤدي إلى تطور الدماغ تدريجيا وفق المهام الموكلة إليه. وقد توصل العلماء المهتمين/ات في هذا المجال إلى أن الدماغ مكون من نصفين لكل منهما وظائف مختلفة. فالنصف الأيسر مسؤول عن التفكير العقلاني وما يرتبط به من المنطق والصواب، الاستنتاج، التحليل والكلام. أما النصف الأيمن من الدماغ فمرتبط بالتفكير العاطفي والإدراك الحسي spatial perception والحدس، الخيال والإبداع. وقد أظهرت الدراسات أن النصف الأيسر أكثر تطوراً لدى الرجل، ولكن النصفين متعادلان ومتشابهان لدى المرأة.

ومن هنا تستطيع المرأة أن تستخدم النصفين معاً. في حين يعجز الرجل عن ذلك. فهذه الحقيقة العلمية البيولوجية تكون لصالح المرأة أكثر من الرجل وتنفي احتكار صفة العقلانية للرجل، لأن المرأة لديها نصف الدماغ الذي يعمل فيما يتعلق بالتفكير العقلاني والمنطقي والمجرد، بل تتميز المرأة عن الرجل بأنها تستطيع استخدام النصفين معا، أي العاطفة والعقل معا. أما الرجل فيفتقر لصفة العاطفة؛ لأن الجانب الأيسر يعمل بشكل أفضل من الجانب الأيمن، ولأن تنشئته الاجتماعية ركزت على استخدامه للجانب الأيسر فقط وفق معايير الرجولة التي حددتها الثقافة السائدة. ونحن إذ لا ننكر أهمية صفة العاطفة كبعد إنساني، ولكننا نرى أن الظروف المحيطة ومؤسسات التنشئة الاجتماعية

لعبت الدور الأساسي في تغليب الجانب الأيمن لدى المرأة وهو الجانب المرتبط بالعاطفة. وفي تغليب الجانب الأيسر للرجل والمرتبط بالعقلانية. وهذا ما يفسر ارتباط صفة العقلانية بالرجل وصفة العاطفية بالمرأة. والمعلوم أن البيولوجيا وحدها لا تكفي لبناء الأدوار والصفات وإنما تتفاعل مع الظروف التربوية والبيئية المحيطة. وفيما يتعلق بصفة الثرثرة المرتبطة بالمرأة، فقد أثبت العلم أن الجزء من الدماغ المسؤول عن الكلام يتمركز في النصف الأيسر من دماغ الرجل، في حين يتمركز في نصفي دماغ المرأة، لذلك عندما يتعرض كلاهما للسكتة الدماغية فإن الرجل يصبح عاجزاً عن الكلام، في حين تستعيد المرأة هذه القدرة بشكل أسرع أو على الأقل تحافظ على جزء من مفرداتها (Govier,1998) . والنقطة الهامة التي يجب الانتباه لها هنا أنه لا يوجد دماغ خاص بالرجال فقط، بمعنى أن الرجال جميعهم لا يمتلكون المواصفات الدماغية نفسها. وكذلك الأمر عند النساء فلا يوجد دماغ خاص بجنس النساء بأكمله. لذا قد نجد رجلاً بدماغ امرأة فسيولوجيا واجتماعيا، والعكس صحيح.

ونخلص من هنا إلى أن مفهوم الجندر يتطور من خلال قيم ومعتقدات المجتمع، ومن خلال طريقته في تنظيم الحياة الاجتماعية. فهو مبني اجتماعيا، ويختلف من ثقافة إلى أخرى، ومن زمن إلى آخر، ويختلف في علاقته بالجنس الآخر. والثقافة تبني هذا المفهوم وتحافظ على معناه من خلال اعتمادها على الفروق البيولوجية بين الجنسين. ونتيجة لذلك يتم تحديد معنى كل من الذكورة والأنوثة في المجتمع. والذكورة في جميع المجتمعات نسبيا تعني أن يكون الرجل قوياً، طموحاً، ناجحاً، عقلانياً، وقادراً على ضبط عواطفه. وعلى الرغم من أن متطلبات الذكورة تلك قد قل الضغط على وجودها في العصور المتقدمة إلا أنها ما زالت تمارس ضغطا على الرجال للامتثال لها

والتحلي بها، مما أوجد مفهوم . (Wood,1994) "real men" فالرجل الحقيقي الذي ينتمي للذكورة masculinity في كل عصر وزمن وفي أي ثقافة يجب أن لا يبكي أو يطلب المساعدة من الغير. وإنما مفهوم الرجل الحقيقي يؤكد على أنه حري به أن يكون ناجحاً وقوياً في أي مكانة يحتلها وفي أي دور يقوم به. وكذلك الأمر بالنسبة لمفهوم الأنوثة femininity، فهو أكثر تطوراً من العصور السابقة، ولكن هناك صفات ما زالت موجودة توجب على المرأة أن تتحلى بها لأنها مناسبة لجنسها حتى تعتبر امرأة حقيقية "real women" أيضاً، كأن تكون جميلة، جذابة ناعمة، حسنة المظهر، لا تمتلك صفة العنف والقوة، عاطفية، تتحلى بصفة الرعايةnurturance ، تهتم بالآخرين وبالعلاقات الاجتماعية، وتحب الأطفال والمنزل. إن الثقافة تتضمن مفاهيم الذكورة والأنوثة وتحدد محتوياتهم، إذن الجندر مفهوم ينتج من خلال التفاعل الاجتماعي بين الأفراد وما ينتج عن هذا التفاعل من علاقات اجتماعية، فهو إذاً مجموعة من العلاقات المتداخلة.

وقد تمت استعارة تقسيم العالم إلى قسمين متقابلين ومختلفين من الفيلسوف اليوناني أرستوتيل Aristotle ، عندما كتب عن جدول فيثاغوروس Pythagorean table ، للمتضادات الثنائية Binary Oppositions ، بمعنى أنه يوجد لكل شيء في الطبيعة وصف يقابله وصف آخر .(Francis,et al.,2003) ويتكون مفهوم الجندر من صنفين من خصائص الشخصية التقليدية للجنسين موزعة كالتالي :-

Traditional Gender Dichotomies

خصائص الشخصية التقليدية للجنسين

Femininity الأنوثة	Masculinity الذكورة	
Emotionality -العاطفية	العقلانية-Rationality	1
Passivity -السلبية	Activity -الفعالية	2
Private -الخاص	Public- العام	3
Domesticity/ Family العمل في الحيز الخاص ↓	Business العمل في الحيز العام ↓	4
1.Elementary school teachers caregivers 2. Secretaries Administrative assistants, Nurses/dental assistants home health aids	1.Retail Sales, Service and clerical Jobs 2. Politicians, lawyers, Doctors, dentist	

إن الوظائف العامة والتي تكون في الأغلب حكراً على الذكور تنحصر في الوظائف الهامة كالمبيعات، والسياسة، والدين، وبعض تخصصات الطب. أما الوظائف في المجال الخاص فتكون التدريس بالذات في المدارس الابتدائية، والسكرتاريا، والتمريض، والعناية الصحية المنزلية.

وتشبه الانثروبولجية شيري أورتنر Sherri Ortner مقابلة المرأة للرجل بمقابلة الطبيعة للثقافة. فالمرأة تشبه بالطبيعة بسبب قدرتها على الإنجاب وخصائصها البيولوجية. والرجل يشبه بالثقافة بسبب السلطة والموارد التي يتمتع بها للسيطرة على الطبيعة، واكتشاف كنهها، وتسخيرها لخدمته. ففي الحضارات السابقة وفي بداية سيطرة الإنسان على الطبيعة كانت الطبيعة تعبد بكل مكوناتها لأن الإنسان/ة لم يستطيعا اكتشاف كنهها بعد فكانت المسيطرة، ولكن مع مرور الزمن أصبح الإنسان/ة قادران على التحكم بالطبيعة وليس العكس، لذلك يتم تشبيه خضوع المرأة للرجل تماما بخضوع الطبيعة للثقافة.
(Chancer & Watkins, 2006)

وبما أن الجندر نظام مستقل عن الأفراد، وبما أن الجنس يحدد الصفات والسلوكات والهويات للأفراد فإن كل ما يرتبط بمفهوم الجندر يتغير بتغير الموقف الاجتماعي وبتغير التوقعات الجندرية المرتبطة به. فالأطر الاجتماعية التي تحيط بعملية التفاعل الاجتماعي هي التي تفرض الصفات والسلوكات المتوقعة من الأفراد المتفاعلين/ات. وهذا يفرض وجود ما يسمى بالتنميط الاجتماعي . Social Categorization ويعود إلى العمليات التي يصنف الأفراد من خلالها أنفسهم/هن والآخرين أيضاً. (Wharton, 2005) .

وإن من يرفضون اختزال الجندر، وربطه بالنوع البيولوجي، واعتبار مفهوم الجندر بأنه مجرد خصائص فردية وعزو فردي إنما يقدمون وجهة نظر تعتبر أن الجندر عبارة عن إنجاز اجتماعي يتم في سياق التفاعل الاجتماعي بين الأفراد. فيعرفونه على أنه "مجموع السلوكات والنشاطات التي تنظم المكانات والأدوار والسلوكات والاتجاهات بما يناسب النمط الجنسي". أي ما يناسب الرجال والنساء. حيث يقوم الأفراد بسلوكات مسؤولة يتم تشكيلها في إطار يناسب الموقف، وكيفية تفسيره وتأويل أطراف التفاعل الآخرين له في إطار

الموقف التفاعلي، وهذا ما يوجد مفهوم الجندر ويظهر السلوك الجندري .gender activity ولكن هذا لا يعني أن إنجاز الجندر وصناعته doing gender تكون دائما بمستوى المفاهيم المعيارية السائدة normative conceptions للذكورة والأنوثة. وإنما يعني هنا القيام بسلوكات مجازفة ويكون الفرد مسؤولاً عنها. وهذا ما يجعل مفهوم الجندر نمطاً غير ثابت يرتبط بالرجل والمرأة ولا يكون موحدا في جميع المجتمعات. وما هو ثابت فقط هو ما يرتبط بالطبيعة البيولوجية لكل من الذكر والأنثى. ومن هنا ننظر إلى مفهوم الجندر على أنه إنجاز اجتماعي، ومفهوم مكتسب بكل ما يشمل المفهوم. وبذا ينتقل التحليل لتكريس هذا المفهوم من مستوى فردي إلى مستوى التفاعل الاجتماعي ثم إلى المستوى المؤسسي. (Smith, 2002) .

مكونات الجندر

يعتبر الجندر مؤسسة تنشئ أنماطاً من التوقعات للأفراد، وتنظم العمليات الاجتماعية في الحياة اليومية. وهي مبنية على التنظيمات الاجتماعية الرئيسية في المجتمع مثل الاقتصاد، الأيديولوجية السائدة، الأسرة، السياسة. وتعد بنية لها كيانها الخاص ومكوناتها Components of Gender التي يختلف فيها المستوى المؤسسي عن المستوى الفردي.

الجندر كمؤسسة اجتماعية تتكون مما يلي:-

1- المكانة الجندرية

يتم تقييم المكانة الجندرية Gender status بناءً على التطور التاريخي لأي مجتمع. ويمكن تمييزها من خلال العادات، والتوقعات السلوكية واللغوية والعاطفية والجسدية المرتبطة بمكانة الجنسين، والأدوار المناطة بهما. فالمكانة والدور وجهان لعملة واحدة.

2- التقسيم الجندري للعمل

يشير التقسيم الجندري للعمل Gender division of labor إلى العمل الإنتاجي في المجتمع، والعمل في المنزل. ويتم توزيع العمل بناءً على المكانة الجندرية لأعضاء المجتمع الذين يحتلون مكانات جندرية مختلفة القيمة، وتحظى المكانة الأعلى في المجتمع بالقيمة والأهمية والمكافأة.

3- الروابط القرابية الجندرية

تشمل الروابط القرابية الجندرية Gender Kinship مسؤوليات وحقوق كل فرد في العائلة، وتعكس المكانة الجندرية في العائلة والاختلاف في القوة والأهمية وفي الأدوار الجندرية.

4- النصوص الجندرية المرتبطة بالجنس

تختلف النصوص الجندرية Gendered sexual scripts باختلاف المكانة الجندرية في المجتمع. فأعضاء المكانة الجندرية السائدة يحظون بامتيازات وصلاحيات جنسية أكبر. في حين أن أعضاء المكانة الجندرية المتدنية والخاضعة قد يستغلون جنسيا. وتختلف النصوص المسموحة أو الممنوعة باختلاف الجنس.

5- الشخصيات الجندرية

إن الشخصيات الجندرية Gendered personalities عبارة عن خليط من الطباع والصفات المنمطة، بحيث تحدد العادات الجندرية السلوك المتوقع من كل جنس في مواقف التفاعل.

6- الضبط الاجتماعي الجندري

قد يكون الضبط الاجتماعي الجندري Gendered social control رسمياً من خلال القوانين السائدة، أو غير رسمي بناءً على ما هو متفق عليه في الثقافة السائدة. وتكون النتيجة إما المكافأة على السلوك الممتثل لما يتوقعه المجتمع من كل جنس، أو العزل الاجتماعي، أوالوصم، أوالعقاب للسلوك الاجتماعي المخالف لتوقعات المجتمع من كل جنس.

7- الأيديولوجية الجندرية

تعني الأيديولوجية الجندرية Gender ideology تبرير وجود مكانات جندرية مختلفة بسبب القيمة المختلفة لهذه المكانات بحيث يبدو كأنه أمر عادي.

8- الصورة الذهنية الجندرية

إن التمثيل الثقافي للجندر وتجسيد الجندر في اللغة يؤدي إلى إعادة إنتاجه، وإلى إعطاء الشرعية لاختلاف المكانات الجندرية. وتعتبرالثقافة من الدعائم الرئيسية للأيديولوجية الجندرية السائدة. وتعبر الصورة الذهنية الجندرية Gender imagery عن كل ما هو مطبوع في الدماغ عن الذكورة والأنوثة والتي يتم ترجمتها إلى سلوكات وتتجسد في الثقافة السائدة بكل مكوناتها وبالذات في اللغة وسيلة التواصل بين الثقافات المختلفة(Lorber, 1994) .

الجندر على مستوى الأفراد يتمثل بما يلي:-

1- النمط الجنسي

يحدد النمط الجنسي Sex category جنس المولود عند الولادة بالاعتماد على الجهاز التناسلي، الذي يعد ثابتاً نسبياً. وقد يتم التحول للجنس الآخر من خلال العمليات الجراحية.

2- الهوية الجندرية

تتعلق الهوية الجندرية Gender identity بإحساس الفرد بكل ما يتعلق بالشخصية الجندرية من الصفات، والمهن، والأدوار، والصور النمطية سواء كعضو داخل العائلة أم في العمل.

3- المكانة الزواجية والإنجابية الجندرية

تتعلق المكانة الزواجية والإنجابية الجندرية

Gendered marital and procreative status بتوزيع الأدوار داخل مؤسسة الزواج بناءً على ما هو مقبول في المجتمع، وعلى ما يرتبط بهذه الأدوار من الحمل وإنجاب الأطفال.

4- التوجهات الجنسية الجندرية

ترتبط التوجهات الجنسية الجندرية Gendered sexual orientation بالممارسات المنمطة بين الجنسين. وتحدد ما هو مقبول أو غير مقبول في المجتمع.

5- الشخصية الجندرية

ترتبط الشخصية الجندرية Gendered personality بالتنشئة الاجتماعية على المعايير الاجتماعية السائدة والتي تقاس بها السلوكات المقبولة من الجنسين .

6-العمليات الجندرية

تعني العمليات الجندرية :Gendered processes الممارسات الاجتماعية المستمرة، والسلوك وفق نمط معين- ملائم لجندر الفرد - يؤدي من خلال الممارسة إلى تكوين الهوية الجندرية، والسلوك بشكل ملائم للمكانة الجندرية

أثناء التفاعل مع الآخرين. فالسلوك إما أن يكون معيارياً سائداً أو أن يكون سلوكاً مختلفاً.

7- المعتقدات الجندرية

قد تكون المعتقدات الجندرية Gender beliefs إما متوافقة أو مقاومة للأيديولوجية الجندرية السائدة.

8-استعراض الجندر

يعني استعراض الجندر Gender display إظهار الفرد لهويته/ها الجندرية من خلال اللباس، المكياج، التزين، أو أية علامات جسدية سواء أكانت دائمة أم مؤقتة .

(Lorber, 1994)

وإن الجندر كمؤسسة اجتماعية عبارة عن عملية تؤدي إلى وجود مكانات اجتماعية متمايزة مرتبطة بمجموعة من الحقوق والواجبات والمسؤوليات. وتكون هذه المكانات غير متساوية بناءً على نظام التدرج الاجتماعي stratification system Social . فالجندر نسق رئيسي هام في البناء الاجتماعي يقوم على هذه المكانات غير المتساوية.

وأما الجندر كعملية فهو يوجد الفروق الاجتماعية التي تعرف كلاً من الرجل والمرأة أثناء عملية التفاعل الاجتماعي، فيتعلم كل منهما ما هو متوقع، ويرى كل منهما ما هو متوقع، وتكون أفعالهما وردات أفعالهما ناجمة عما هو متوقع أيضاً. ويؤدي ذلك كله إلى بناء واستمرار النظام الجندري من خلال التفاعل الاجتماعي الذي يدعم التوقعات الاجتماعية من الأفراد. (Lorber, 1994) .

وإن أكبر دليل على وجود فروق بين الثقافات فيما يتعلق بالتمييز بين مفهومي الجنس والجندر، الدراسة التي قامت بها الانثروبولوجية مارجريت ميد : Margaret Mead
"Sex and Temperament in three Primitive Societies" عام 1935. حيث قامت بوصف ثلاث ثقافات مختلفة، متقاربة مكانيا لكن توجد فيما بينها فروق كبيرة في كيفية بناء مفهوم الجندر بناءً على مفهوم الجنس. وقد افترضت أن مفهوم الجنس ثابت في كافة الثقافات ولكن الأدوار الاجتماعية المرتبطة بمفهوم الجندر والموكلة للجنسين هي التي تختلف بين الثقافات، فكانت مقارنتها لهذه الثقافات الثلاثة في المجتمعات الغينية في الهند New Guinea Socictics وحكمها عليهم من منطلق الصور النمطية الجندرية المتداولة في المجتمعات الغربية.
وبناءً على نتائج هذه الدراسة وغيرها من الدراسات الأنثروبولوجية تم التوصل إلى أن مفهوم الجندر يختلف في محتواه بين الثقافات. حتى أن بعض السلوكات المتشابهة بين الثقافات المختلفة قد تفهم وتفسر بطريقة مختلفة أيضا. فمنظري ومنظرات هذا الاتجاه الذي يؤكد على أن الفروق الجندرية بين الجنسين تختلف في ظل الثقافة الواحدة عبر الزمن يستندان على آراء ماركس في هذا الإطار التي تؤمن بأن الرجل والمرأة كانا مختلفين قبل ظهور النظام الرأسمالي بيولوجيا فقط، فلم يكن لهما أدوار جندرية مرتبطة بجنسيهما إلا بعد ظهور النظام الرأسمالي . (Jackson & Scott,2002) .

الجنس والجندر

مقدمة

نظرا لحداثة مفهوم الجندر فقد خلطت الأغلبية بينه وبين مفهوم الجنس (النوع البيولوجي) على الرغم من وجود فرق كبير بين المفهومين. هذا الفرق الذي بنيت عليه النظريات التي تفسر كيفية تشكل وتطور مفهوم النوع الاجتماعي (الجندر). وتفاوتت الآراء فيما إذا كان المفهومان مرتبطين وينبني أحدهما على الآخر كسبب لوجود التمييز بين الجنسين.

وتعتبر آن أوكلي أول من استخدم مفهوم الجندر. وقد حاولت التمييز بينه وبين مفهوم الجنس. وهي في الحقيقة قد استعارت فكرة التمييز بين المفهومين من عالم النفس الأمريكي روبرت ستولر Robert Stoller الذي كان يعمل مع الحالات غير المحددة أو المبهمة جنسياً. فلم يكن الجنس حينها واضحاً لتحديد فيما إذا كان أصحابه ذكوراً أم إناثاً. خاصة أن مشاعر وأحاسيس هذه الحالات كانت غير منسجمة مع جنسهم/هن الحقيقي. وقد وجد روبرت أن التمييز بين المفهومين مفيد لوصف حالة هؤلاء الأفراد الذين وجدوا أنفسهم/هن في مواقع ونماذج جندرية ويمارسون أعمالاً جندرية غير مرتبطة بجنسهم/هن.

وبناءً على ذلك عرفت أوكلي الجنس sex على أنه:" الخصائص الفسيولوجية والبيولوجية التي تميز الذكور male عن الإناث." female

وعرفت الجندر gender بأنه: "عبارة عن الذكورة masculinity والأنوثة femininity المبنيين اجتماعيا والمشكلين ثقافيا ونفسيا". يتم اكتساب هذه المفاهيم من خلال عملية التنشئة الاجتماعية التي يتعلم الإنسان/ة من خلالها كيف يصبح ذكراً وكيف تصبح أنثى في مجتمع معين وفي وقت معين. فالجندر

خصائص اجتماعية وليس إنتاجاً مباشراً مرتبطاً بالنوع البيولوجي. (Jackson & Scott,2002) .

ويعتبر الفرق بين مفهومي الجنس والجندر كالفرق بين البيولوجيا والحضارة. وتمثل المرأة الجانب البيولوجي من حياة الإنسان/ة كأداة لحفظ النوع، وما يرتبط بذلك من سمات أنثوية نمطية. في حين يمثل الرجل الجانب الحضاري المادي وهو الإبداع والثقافة وما يرتبط بذلك من سمات ذكورية نمطية.

وتوجد ثلاثة آراء رئيسية تفسر الفروق الجندرية بين الجنسين، وتوضح كيفية تطور الهوية الجندرية واكتساب الأدوار الجندرية أيضا بناءً على الفرق بين مفهومي النوع البيولوجي (الجنس)، والنوع الاجتماعي (الجندر). وتتمثل هذه الآراء في ثلاثة اتجاهات رئيسية يشمل كل منها مجموعة من النظريات:-

1. الجندر والبيولوجيا: الفروق الطبيعية

تحاول وجهة نظر الفروق الطبيعية Gender & Biology: natural difference اكتشاف إلى أي مدى تكون الاختلافات البيولوجية بين الرجل والمرأة السبب وراء وجود الاختلافات الجندرية. فيعتبر بعض المفكرين/ات أن مجالات البيولوجيا الطبيعية التي تتراوح ما بين الهرمونات والكروموسومات إلى حجم الدماغ والجينات مسؤولة عن وجود فروقات سلوكية بين المرأة والرجل. وهذه الفروقات بالتالي تؤدي إلى عدم المساواة بين الجنسين. وهذه الصفة غالبة في كل المجتمعات تقريبا رغم عدم وجود دليل علمي يدعم هذه الآراء خصوصا وأنها تهمل دور التفاعل الاجتماعي في تشكيل السلوك البشري (Giddens, 2001) .

2.التنشئة الاجتماعية الجندرية

تؤكد التنشئة الاجتماعية الجندرية Gender Socialization أن تعلم الأدوار الجندرية يتم من خلال مؤسسات التنشئة الاجتماعية كالأسرة والإعلام. إن هذا التوجه يميز بين الجنس الطبيعي والجندر الاجتماعي. فالطفل والطفلة من وجهة نظر هذا الاتجاه يولدان بالجنس الطبيعي. ويطوران الجندر الاجتماعي من خلال التفاعل مع المؤسسات المختلفة والمرتبطة بعملية التنشئة الاجتماعية الأولية والثانوية. كما أنهما يستدخلان العادات الاجتماعية والتوقعات المرتبطة بها والمنسجمة مع جنس كل منهما. ومن المعلوم أن الفروق الجندرية لا تشكلها أو تحددها البيولوجيا الطبيعية. وإنما هي منتجات ثقافية وبناءً على ذلك تنتج عدم المساواة بين الجنسين. كيف لا وكل من المرأة والرجل تتم تنشئتهما بطرق مختلفة لتعلم أدوار مختلفة. إن نظريات التنشئة الاجتماعية الجندرية كانت وجهة النظر المفضلة لرواد النظرية الوظيفية. حيث ترى الوظيفية أن كلاً من الذكور والإناث يتعلمان الدور الجندري والهويات الجندرية ومفاهيم الذكورة والأنوثة من خلال نظام الجزاء sanctions سواء الجزاء الإيجابي أم السلبي. فالطفل/ة اللذان يسلكان طريقة مناسبة لجنسهما يتلقيان جزاءً إيجابيا، والعكس صحيح. ومن خلال هذا التعزيز يتعلم الأطفال ما هو السلوك المناسب حسب الجنس والامتثال للمعايير الثقافية السائدة. أما في حالة وجود سلوك جندري منحرف عن المتوقع والمعتاد وغير مناسب للجنس، فتنظر له الوظيفية على أنه سلوك منحرف. ويتم عزو هذا السلوك المنحرف إلى خلل في عملية التنشئة الاجتماعية؛ لأن الوظيفية تعتبر أن مؤسسات التنشئة الاجتماعية تساهم في توازن النظام الاجتماعي من خلال الحفاظ على عملية التنشئة الاجتماعية المناسبة حسب الجنس.

ولكن وجهة النظر هذه تعرضت إلى عدة انتقادات وذلك لأن مؤسسات التنشئة الاجتماعية قد لا تعمل بشكل متكامل مع بعضها، بالإضافة إلى أن هذه الآراء أهملت دور الفرد في رفض وتعديل التوقعات الاجتماعية المحيطة بالدور المبني على أساس الجنس، فالجنسان ليسا متلقيين سلبيين. (Giddens, 2001) .

3. البنية الاجتماعية لمفهوم الجندر ومفهوم الجنس

تعتبر وجهة نظر البنية الاجتماعية لمفهوم الجندر ومفهوم الجنس Social Construction of Gender & Sexأن كلا المفهومين تم اكتسابه ثقافيا وتم بناؤه اجتماعيا، ولم يقتصر البناء الاجتماعي على مفهوم الجندر فقط وإنما كلاهما. ونحن نستطيع أن نغير أعضاءنا وأجسادنا ونعطيها المعنى الذي نريد حتى لو كان تحديا ومخالفا للوضع المعتاد. ويتم ذلك من خلال برامج التنحيف، أو عمليات التجميل أو حتى عمليات تحويل الجنس. فالتكنولوجيا الحديثة والتطور العلمي لم يتركا شيئاً مستحيلاً. وتؤكد وجهة النظر تلك بأن الجنس والجندر مفهومان ليسا أزليين، وإنما هما موضوعان يتعلقان باختيارات الفرد ضمن الأطر الاجتماعية المختلفة . (Giddens, 2001) .

مفهوم الجنس (النوع البيولوجي)

وضحنا في الصفحات السابقة ماهية مفهوم الجندر، وسنوضح الآن مفهوم الجنس منعا للاختلاط بين المفهومين.

ويعني مفهوم الجنس Sex أو النوع البيولوجي: "الاختلافات البيولوجية والفسيولوجية والنفسية بين الجنسين فيما يتعلق باختلاف الكروموسومات والهرمونات والأعضاء الجنسية الداخلية والخارجية". ويعني ذلك في العلم Sexual Dimorphism،أي الازدواجية: وجود نوعين من نفس الفصيلة يختلف

أحدهما عن الآخر بعدة خصائص. وللتعبير عن الفروق البيولوجية بين الجنسين يستخدم علماء الاجتماع مفهوم sex-categoryأو مفهوم

Sex-assignment ، حيث تصف هذه المفاهيم العمليات التي يتم من خلالها إعطاء معاني اجتماعية للنوع البيولوجي (ذكر،أنثى. (Wharton, 2005) .

ومفهوم الجنس يشير إلى الفروق البيولوجية بين الجنسين التي يتم تمييزها من خلال الأعضاء التناسلية الخارجية وهي:

، Penis and testes in males, clitoris and vagina in females'

والأعضاء التناسلية الداخلية وهي:

ovaries and uterus in females, prostate in males. وهذه الأعضاء الداخلية والخارجية من خلال الكروموسومات - chromosome وعددها 23 زوج كروموسوم- تحدد وتوجه تطور الإنسان العضوي وكيفية تطور هذه الأعضاء عند الجنين. (Wood,1994) .

ويحدث التطور الجنيني Prenatal Development عندما تلتقي بويضة مكونة من 23 زوج من الكروموسومات في الأنثى مع حيوان منوي من الذكر ويحتوي أيضا على 23 زوج كروموسوم. واحدة من هذه الكروموسومات تكون مسؤولة عن تحديد جنس المولود/ة، والبويضة تحتوي دائما على الكروموسوم X الذي يحدد الجنس، أما الكروموسومات الموجودة في الحيوانات المنوية فتحتوي إما على الكروموسوم X أو على الكروموسوم Y . وإذا تم تلقيح البويضة بالكروموسوم X تحمل البويضة الملقحة رمز XX ويكون جنس الجنين أنثى، أما إذا تلقحت البويضة بالكروموسوم Y تحمل الرمز XY ويكون جنس الجنين حينها ذكرا . (Matlin,1996) وتتحدد صفات الجنين من خلال الانسجام بين الكروموسومات من جهة والهرمونات hormones التي تفرزها الغدد الصماء

endocrine مباشرة في الدم وتتوزع على الخلايا، وتؤثر على نمو الجنين قبل الولادة من جهة أخرى. فبعد سبعة أسابيع من تلقيح البويضة تبدأ الهرمونات في تحديد تطور الأعضاء التناسلية الداخلية والتي بدورها تسيطر على القدرة الإنجابية. وتوجه هذه الهرمونات بنفس المستوى نمو الأعضاء الجنسية الخارجية أيضاً. وفي بعض الأحيان يكون الجنس خليطاً بين خصائص الجنسين أو مبهماً غير واضح المعالم حيث تكون الأعضاء التناسلية الداخلية والخارجية غير منسجمة وهذا يسمى بالخنثى . hermaphrodites وهو ينتج بسبب خلل هرموني في مراحل الحمل الأولى. ويعود ذلك إلى أن الأم قد يكون لديها إفراط أو قلة في إنتاج الهرمونات أثناء الشهر الثاني أو الثالث خلال فترة الحمل مما يؤدي إلى شذوذ anomaly عن الوضع الطبيعي، ويتسبب في ظهور الاندروجيني Androgen Sensitivity Syndromeعندما يكون هناك خطأ في مرحلة الأيض للجنين الذكري. وهذا يؤدي إلى تطور الخصائص الجنسية الأنثوية الثانوية في مرحلة البلوغ مع استمرار وظائف الخصيتين testes التي تنتج الاندروجين ولكنه يكون غير فعال. أما إذا كان الجين أنثوي Andrenogenital Syndrome فيظهر الاندروجيني عندما يتم إفراز كميات فوق الطبيعي من هرمون الاندروجين الذي يؤدي إلى تذكير الأعضاء الجنسية الأنثوية. وقد يؤدي أحيانا إلى ولادة جنين مع قضيب penis ، ولكن يكون الصفن scrotum وهو الكيس الذي يطوق الخصية فارغاً. وقد تظهر إلى درجة ما أعضاء أنثوية كالبظر . clitoris واذا أخذت الأم أثناء فترة الحمل هرمون البروجستين progestin البديل عن البروجسترون لمنع إجهاض الجنين miscarriage ، فقد يظهر على الجنين أعضاء جنسية خارجية ذكورية إذا كان الجين أنثوياً. حيث يؤدي هرمون البروجستين إلى وجود الطفل الخنثى . (Wood, 1994; Lindsey,1994) Hermaphrodite . وتلعب هذه الهرمونات أيضا دورا في تحديد الفروقات بين الجنسين، وتوجد هذه الهرمونات بنسب مختلفة لدى الذكور والإناث ولا ينتهي

تأثيرها بالولادة وإنما يستمر في جميع مراحل النمو سواء الطفولة أم المراهقة أم الشباب. فهي تحدد فيما إذا كانت الدورة الشهرية ستصاحب الأنثى في مرحلة النمو، وتحدد عدد بصيلات الشعر في الجسم وأماكن نموها، حتى العضلات الموجودة في الجسم تكون متأثرة بتأثير الهرمونات. وفي مرحلة البلوغ تزداد نسبة الهرمونات الذكرية عند الذكر، ونسبة الهرمونات الأنثوية عند الأنثى؛ مما يعطي لكلا الجنسين الشكل الخارجي (الكتاني،2000). ففي الست أسابيع الأولى يختلف الجنسين عن بعضهما فقط في الكروموسومات، وبعد ذلك عندما تتطور الهرمونات والأجهزة التناسلية يبدأ الجنسان بالاختلاف عضويا عن بعضهما. وبعد الولادة يبدأ الأهل بتطوير هذه الاختلافات البيولوجية إلى فروق جندرية من خلال التوقعات المختلفة من كل منهما والسلوكات التي يعلمها الأهل للأطفال . (Matlin,1996) .

وإن التركيب البيولوجي للجنس البشري يؤثر على سلوك الإنسان على الرغم من أن الأبحاث في هذا الإطار ما زالت ضعيفة خصوصا فيما يتعلق بتأثير الهرمونات على تطور الاستعداد العقلي من مثل أفضلية الذكور على الإناث في الرياضيات، أو ارتباط وجود هرمون التستسترون عند الذكور سبب وجود العنف لديهم. فلم نجد دليلاً علمياً قاطعاً على ذلك ولكن ما هو مثبت فعلا أن هناك تأثيراً للبيولوجيا على سلوك الإنسان/ة. ولكنها بنفس قدر تأثير العوامل النفسية والاجتماعية والثقافية والبيئة المحيطة على الفرد أثناء مراحل النمو (Wood,1994) .

وإن المرأة لا تختلف عن الرجل في امتلاكها الاستعداد والقابلية لإدراك الحقائق والمفاهيم. وفي امتلاك القدرة على العلم والتعلم. وقد أثبت العلم أن دماغ النساء يحتوي على خلايا الدماغ التي تسمى العصبونات بنسبة تزيد حوالي 10% عن دماغ الرجال. على الرغم من أن دماغ الرجال أكبر حجما. ومن

هنا لا يعني كبر حجم الدماغ أنه أكثر فاعلية، فدماغ الفيل يزيد حجمه أضعاف مضاعفة عن حجم دماغ الإنسان. إن الفروق بين الجنسين يعود إلى وجود بعض الجوانب والمهارات الفكرية التي تميز إنساناً عن آخر بغض النظر عن الجنس، ولا يعود اختلاف القدرات الذهنية والمهارات الفكرية إلى مستوى الذكاء العام. فقد يتمتع شخصان بنفس مستوى الذكاء ولكل منهما جانب معين يبدعا فيه. أي قد يكون هناك اختلاف في نمط المهارات التي يحبذها الإنسان/ة. (الصفار،2003).

وتعرف نيرانجانا (2005) الجنس على أنه "فئة مجتمعية فرضت على جسم قابل لأن يكون على وضعه التناسلي". فتعتبر أن البيولوجيا أو الجنس لا يكفي وحده لتفسير الاختلافات بين الجنسين؛ لأن السياق الثقافي يطبع التجارب في مادة الجنس بأشكال لا تحصى، فالاختلافات تتنوع بتنوع الأمة والدين والعرق والطبقة والطائفة.

ويشترك كل من النساء والرجال بوجود العقل، والنشاط الدماغي البشري، والذكاء والإرادة. وهذا التشابه بينهما يظهر حتى وإن اختلفت الأجسام بيولوجيا، أي الأعضاء الجنسية، وإن وجد عدم التشابه فإن ذلك يعود إلى الوقائع الاجتماعية، والتصنيفات التراتبية الاجتماعية في الثقافة السائدة (فريس،2005). تقول نبوية موسى بأن الذكر لا يختلف عن الأنثى في القدرات الذهنية وأنه يختلف عنها فقط في الوظيفة التناسلية. والدليل على ذلك أن العلم عجز عن إثبات أن القطة الأنثى تحب اللعب واصطياد الفئران، والقط الذكر يتصف بالرصانة والجدية ولا يسرق اللحوم ولا يؤذي الفئران. في حين أثبت العلم أن الثور أكبر حجما من البقرة من حيث الجسم والدماغ ولكنه أدنى ذكاءً منها. (بهلول،1998).

إن استخدام مفهوم الجنس مقابل مفهوم الجندر يؤدي إلى تقابلات أخرى وهي:- الطبيعة مقابل الثقافة. السوسيولوجي مقابل المجتمعي. المادي مقابل

الثقافي. فتقلد الدور الجندري ليس حدثا يقع مرة واحدة، وليس محتوما بالبيولوجيا، وإنما هو عملية متواصلة من تحصيل المهارات والخصائص المميزة جندريا. وتبدأ هذه العملية عندما يتحرك الجنين في الرحم. فإذا كان نشيطا ويتقلب فإنه سيكون صبيا حسب ما يتم تداوله بين الناس. ثم تبدأ عملية التنميط قبل أن يأتي الطفل إلى العالم. فيكون الأهل أحكاماً مسبقة بخصوص أنماط سلوك وخصائص الجنسين . (شوي،1995).

وإذا افترضنا كما قال بعض علماء البيولوجيا الاجتماعية أن الجنس هو سبب رئيسي للفروق السلوكية بين الجنسين، وأن الهرمونات والعوامل الوراثية تؤثر على السلوك. لا يمكننا أن نغفل دور البيئة المحيطة التي يوضع فيها كل من الذكور والإناث في التأثير على مستوى إفراز الهرمونات بمقدار تأثير الهرمونات على السلوك. الأمر الذي ينبني عليه كون الجسم البيولوجي سيغدو جسماً اجتماعياً فيما بعد.

الخلاصة

تعود أهمية تقديم تعريف موسع وشامل لمفهوم الجندر، وأبعاده الاجتماعية والثقافية إلى تنظيم علاقات عدم المساواة بين الجنسين. حيث يبحث مفهوم الجندر فيما إذا كانت الفروق البيولوجية تؤدي إلى عدم المساواة الجندرية. فالجندر مفهوم له بعد هام لأن توزيع القوة والامتيازات في المجتمع تتم بناءً عليه.

ويعتبر مفهوم الجندر عملية اجتماعية وثقافية يتم إنتاجها وإعادة إنتاجها باستمرار. وهو نظام من الممارسات اليومية المتشابكة التي تتم بشكل مستقل عن الأفراد. ويقر المفهوم بوجود الاختلافات والتنوع في الأدوار بين الجنسين حسب ما هو سائد في الثقافة. وهو لا يطالب بإلغاء مثل هذا التنوع ولكن بشرطين، الأول: أن يكون هناك مساواة في قيمة الأدوار التي يقوم بها الجنسان، ومساواة في مكانة كل منهما. بمعنى أن لا يكون هناك موقف معياري يقوم على القيادة والتبعية، أو على التثمين والتبخيس. والشرط الثاني: أنه يجب أن ننظر إلى الوقائع من زاوية الإناث والذكور معاً، وليس من زاوية جنس واحد فقط. ويجب أن ننظر إلى الاختلاف والتنوع بين الجنسين كقاعدة للتكميل والتكامل لا للمفاضلة بينهما.

وعلى الرغم من اختلاف مفهوم الجندر عن مفهوم الجنس إلا أنه ما زال هناك خلط بين المفهومين. ففي حين يبحث مفهوم الجندر عن كل ما هو متغير ومكتسب اجتماعياً وثقافياً، يركز مفهوم الجنس على كل ما هو ثابت بيولوجيا .

وتتراوح وجهات النظر المختلفة التي تبني تفسير الاختلاف في القوة والامتيازات بين الجنسين في المجتمع ما بين الفروق البيولوجية، والتنشئة الاجتماعية الثقافية.

الفصل الثالث 3

الجندر: عملية التشكل الاجتماعي

- مقدمة
- التصورات الجندرية
- أبعاد التصورات الجندرية
- مراحل تكوين التصورات الجندرية
- العمليات التي تحدد التصورات الجندرية
- النظام الأبوي وتطور مفهوم الجندر
- التنشئة الاجتماعية وتطور مفهوم الجندر
- مراحل عملية التنشئة الاجتماعية
- مؤسسات التنشئة الاجتماعية وتطور مفهوم الجندر

مقدمة

توجد حلقة مفرغة في العلاقة بين التصورات حول مفهوم الجندر، وبين الاتجاهات والسلوك والأدوار المبنية على الجندر. فالمحددات الاجتماعية والثقافية التي تؤثر وتشكل التصورات حول مفهوم الجندر ستعكس هذه التصورات في الأدوار الجندرية. وبالمقابل ستعزز وترسخ وبدون وعي هذه التصورات الجندرية مرة أخرى. فتؤثر في الحياة اليومية الاجتماعية، وفي نظرتنا لأنفسنا، ولاتجاهاتنا، وفي نظرتنا للجنس الآخر كما أنها تحدد كيفية التعامل مع هذا الجنس.

سيناقش هذا الفصل معنى التصورات الجندرية، وكيفية تشكلها عبر الزمن في الإدراك العقلي والحسي الاجتماعي من خلال القيم والأفكار والمعتقدات، وانعكاسها في الاتجاهات والسلوك. كما سيناقش دور المؤسسات الاجتماعية في تشكيل مفهوم الجندر ابتداء من النظام الأبوي، مرورا بعملية التنشئة الاجتماعية بجميع مؤسساتها، وانتهاء بدور اللغة في تشكيل هذا المفهوم .

التصورات الجندرية

تعني التصورات بشكل عام الإدراك الحسي الاجتماعي .Perceptions وهي عملية عقلية تصور الأشياء، والصفات، والعلاقات أو الوقائع الاجتماعية لنعرف بها العالم الخارجي. وهي تعتمد على الإحساسات المباشرة، وترتبط بعمليات التذكر والتخيل والحكم، وتعني الإدراك العقلي Conceptions وهي المعرفة التي لا تدرك بالحواس مباشرة ولكنها نتيجة لأعمال الفكر وما ينتج عنها من مفاهيم تحدد الاتجاهات نحو الأشخاص أو الأشياء (Badawi, 1978) .

وتشمل التصورات الجندرية Gender Conceptualizations جميع المفاهيم المرتبطة بالإدراك العقلي الحسي الاجتماعي، والتي تربطنا بمن حولنا من خلال ما ينتج عن العمليات العقلية من اتجاهات وسلوكات نحو الصفات والأدوار والمكانات والمهن الخاصة بالجنسين، والتي توجه مسار عملية التفاعل الاجتماعي وما ينتج عنها من علاقات. (حوسو، 2007).

أبعاد التصورات الجندرية

ترتبط التصورات الجندرية بالأبعاد التالية:-

.1الفروق البيولوجية بين الجنسين. Sex Differences

.2الأدوار المبنية على أساس الجنس. Sex Roles

.3ما يرتبط بمكانة المرأة في المجتمع باعتبارها مكانة فرعية متدنية.

In relation to the minority status of women

.4ما يرتبط بالطبقة الاجتماعية التي تنتمي إليها المرأة في المجتمع.

In relation to the class statuses of women

إن هذه الأبعاد وكل ما يرتبط بها من مفاهيم تشكل التصورات الجندرية وتقود إلى تكوين وجهة نظر مختلفة عن كل من النساء والرجال في المجتمع (Walsh, 1997) .

مراحل تكوين التصورات الجندرية

تمر عملية تكوين التصورات الجندرية في ثلاث مراحل :-

.1إن مجرد رؤيتنا لأي إنسان/ة تؤدي إلى تكوين تصورات أولية عنهما. وإذا لم يتوافر لدينا معلومات كافية لتكوين هذا التصور فإننا نلجأ إلى الصورة النمطية.stereotype

.2تكون هذه التصورات عبارة عن علاقات مفترضة بين تفاصيل يدركها الإنسان/ة من خلال النظرة العابرة. كأن يتم الربط مثلا بين الذكورة والجرأة، وبين الأنوثة والحياء، أو العلاقة بين اللباس والموطن أو المستوى الاقتصادي الاجتماعي. ويتم التوصل إلى هذه العلاقات المفترضة من خلال العزو السببي Causal Attribution أي عزو الأشياء إلى أشياء أخرى. وتكون عملية العزو سابقة للسلوك الاجتماعي سواء أكان التفضيل أم الحب أم التعصب.

.3يتم توقع سلوك الآخر/الأخرى في موقف معين من خلال العلاقات المفترضة. وتحدد هذه التوقعات التصورات التي من خلالها يتم تفسير سلوك وردود أفعال الآخر/الأخرى(Carlson, 1988) .

العمليات التي تحدد التصورات الجندرية

تتحدد مراحل تكوين التصورات الجندرية عن الآخر/الأخرى في ثلاث عمليات :

.1التصنيف أو التنميط : Categorization وهي عملية أساسية لتكوين التصورات. وتعتمد هذه العملية على الصورة النمطية stereotyping وهو مفهوم عرفه ليبمان Lipmann بأنه " صورة شديدة التبسيط للعالم تجعل الفرد يرى العالم أو أي من مكوناته بشكل مفهوم وله

معنى أكثر مما هو عليه في الواقع". وقد استعار ليبمان هذا المفهوم من تقنيات الطباعة . وهو أول من استخدم مفهوم الصورة النمطية عام 1922 لوصف الصورة التي تنطبع في الدماغ عندما نفكر في جماعة اجتماعية معينة سواء بصورة سلبية أم إيجابية، دقيقة كانت أم غير دقيقة، مبررة أم غير مبررة. والصورة النمطية لا توجد على مستوى فردي فقط وإنما تكون على مستوى جمعي أيضا .
(Pilcher and Whelhan, 2006; Brown, 1986)

وإن الصور النمطية غالبا ما تتسم بالبساطة وعدم التعقيد. وغالبا ما تكون خاطئة وغير دقيقة. ونحن نلجأ لها فقط عند وجود نقص في المعلومات. ويتم التوصل إليها عن طريق التناقل بين الأفراد وليس بواسطة الخبرة المباشرة بالموضوع. لذلك تقاوم الصور النمطية التعديل الذي يتلاءم مع خبرات التفاعل المباشر بموضوعها. فلا يوجد دليل يؤيد الصور النمطية. وتستخدم الصور النمطية كجزء من مخططات . Schemas التي تستخدم بدورها كأطر معرفية تفسر لنا العالم من حولنا، وتوجه سلوكاتنا، وتكون تصوراتنا عن الآخر/الأخرى، الذي/التي نتعامل معهما. وذلك يمكننا من التنبؤ بسلوك أي منهما. ومن خلال هذه التصورات يتم تصنيف الآخر/الأخرى على أساس الجنس/ العرق/ أو الدين. ولكن يكون الجنس sex أكثر مخطط schema استقرارا؛ لأن جميع اللغات والمجتمعات تشمل مصطلحات وملابس وأدوار خاصة بكل جنس تميزه عن الجنس الآخر) .شحاتة،1999. (

ويتعلم الأطفال التفرقة بين الجنسين في سن مبكرة. فالذكورة والأنوثة تعتبر مخططات مستقرة يتم استخدامها لتصنيف الآخر/الأخرى ضمن تصنيفين رئيسيين هما الرجل والمرأة. ويتعلم الأطفال وضع أنفسهم/هن في فئة النوع المناسب لهم/هن، وممارسة السلوكات والأدوار المناسبة لجنسهم/هن، ثم تعديل السلوك ليتناسب مع المخطط الملائم للنوع

البيولوجي. وغالبا ما تتسق هذه التصورات مع التوقعات لسلوك الآخر/الأخرى. (Bem, 1981) .

.2عزو السلوك إلى أسبابه Causal attribution

يعني ذلك استنتاج الأسباب من خلال التصورات عن الآخر/الأخرى موضوع التصور. الأمر الذي يدفع إلى الاستجابة بشكل ما لموقف معين. ويتم ذلك من خلال تنظيم التصورات لعناصر الموقف في علاقات سببية تمكن من تكوين رؤية متكاملة له بشكل يسهل عملية التعامل مع هذا الموقف.

.3التقويم Appraisement

وهي المرحلة الثالثة. فالتصور هو نواة الاتجاه سواء أكان هذا الاتجاه إيجابيا أم سلبيا نحو الآخر/الأخرى. فهو دافع الإنسان/ة للميل نحو الاتساق أو التحيز. أي تفضيل الذي يتشابه مع الفرد في العمر والنوع والفكر وغير ذلك، ورفض كل من يخالفه/ها، وعزو صفات قد تكون غير موجودة في الآخر/الأخرى. وإرجاع السلوك إلى أسباب قد تكون مغايرة للأسباب الحقيقية التي دفعت الفرد للسلوك بطريقة معينة. ومن ثم تقويم السلوك بشكل يعكس التحيز ضد الإنسان/ة والتقليل من قيمة أعمال كل منهما(Brown, 1986) .

وإن التصورات المتحيزة في عقولنا تجعلنا نقسم العالم إلى قسمين متعاكسين تماما؛ ويؤدي ذلك إلى وجود الاستقطاب الجندري .Gender Polarization الذي يجعلنا نتجاهل الفروق الفردية في الجنس الواحد، ونضخم الفروق بين الجنسين. وانطلاقا من مبدأ أن الرجل هو الأصل وأن المرأة هي الآخر المعاكسة تماما. ويؤدي هذا الاستقطاب الجندري بين الجنسين إلى خلق فجوة غير حقيقية بين الرجل والمرأة. فتصوراتنا حول شيء معين تنبع من مفاهيمنا ومعتقداتنا وقيمنا التي اكتسبناها خلال عملية التنشئة الاجتماعية في إطار مرجعي يتم على أساسه الحكم على الأشياء وعلى المواقف. وتكتسب تصوراتنا حينها المعاني والتفسيرات(Matlin, 1996) .

وتوجد علاقة قوية بين التصورات وبين الاتجاهات. فالتصورات تدفع للاتجاه الذي قد ينحو أحيانا نحو التعصب prejudice. والتعصب كما هو معروف يشير إلى اتجاه غير متسامح وسلبي ضد جنس أو موضوع ما. وهو لا يقوم على معرفة كافية. ويتكون من ثلاثة جوانب-:

1.الجانب المعرفي cognitive ويتضمن هذا الجانب المفاهيم والمعتقدات التي يحملها الإنسان/ة لموضوع ما، مثل الاعتقاد بأن الإناث عاطفيات على سبيل المثال.

2.الجانب الانفعالي emotional أي مشاعر الإنسان/ة والأحاسيس الإيجابية أو السلبية التي يشعرا بها نحو الموضوع الذي يحملان له اتجاها ما.

3.الجانب السلوكي action والذي يعني الاستجابة الفعلية نحو موضوع الاتجاه.

وإن ارتباط الاتجاه بالسلوك أمر نسبي يختلف من فرد لآخر، ويعتمد على نوع هذا الاتجاه، ويحدد بالتالي طبيعة السلوك الذي يعبر عنه. فالشخص الذي يحمل اتجاها سلبيا نحو المرأة، يكون سلوكه تجاهها سلبيا أيضا، والعكس صحيح. ويستمد الاتجاه من القيم التي تشكل جزءا كبيرا من التصورات التي يحملها الإنسان/ة، وهي أعم وأشمل من الاتجاه، فيتم توجيه السلوك بناء على هذه التصورات. (الكتاني،2000.)

وكما ذكر سابقا يرتبط الاتجاه بالتعصب .prejudicism وإن كان الاتجاه أكثر اتساعا من التعصب. وهما يندرجان من الحد العادي إلى الحد المتطرف لدرجة قد يصعب معها تغييرهما. ولكن الاتجاه أسهل في قابليته للتغيير من التعصب؛ لأن التعصب يغلب عليه البعد العاطفي، الأمر الذي يجعله يصبح اتجاها عنصريا ضد الجنس الآخر.

والتعصب يعني هنا : " التفكير بالآخرين بالسوء دون وجود دلائل كافية فهو شعور التفضيل أو عدم التفضيل نحو شخص أو موضوع. وهذا الشعور يكون قبليا ". ويؤدي التعصب إلى التنميط .categorization حيث ينسحب الشعور على جميع الأفراد الذين ينتمون للجماعة المتعصب ضدها . negative prejudice ومن هنا فالتعصب اتجاه وجداني سلبي .antipathy ومن المعلوم أن الاتجاهات تتغير بشكل متفاوت فبعضها يتغير بسرعة في حين يتغير البعض الآخر ببطء شديد. ويعتمد ذلك على طبيعة التفاعل الاجتماعي خلال عمليات التنشئة الاجتماعية. فالفرد يستدخل internalize اتجاهات الجماعة التي ينتمي إليها، ثم يستجيب لها، وتؤدي هذه الاستجابة إلى تغيير اتجاهات الجماعة انطلاقا من أن الفرد فاعل ومنفعل في البناء الاجتماعي. فإذا تغيرت اتجاهات الفرد نحو أدوار الذكورة والأنوثة فإن ذلك يؤدي حتما إلى التغيير المطلوب مع مرور الوقت وإن اتسم بالبطء. (عقل،1988).

وأشار بارسونز إلى التصورات من خلال ما جاء به في حديثه عن الإنجاز بأن الإنسان يحمل المكونات التالية :-

1- المكون المعرفي أو الإدراكي .Cognitive وهو يشمل المعارف والمهارات المتعلقة باللغات، وبالفروع المعرفية، والتكنولوجيا، والرياضة. ويرتبط بتحديد الفاعل/ة للموقف.

2- المكون الأخلاقي الانفعالي .Moral الذي يشمل نماذج السلوك والقيم ويعني حاجة الفاعل/ة للإشباع.

3- الجانب التقويمي .evaluative ويشير إلى اختيارات الفاعل/ة وتنظيمهما للبدائل المختلفة. وترتبط هذه الجوانب بالتوقعات من الآخر/الأخرى ثم تنعكس التصورات الجندرية لاحقا من خلال السلوك الإنساني.

(عودة وعثمان،1989؛ الأمين،2005).

ويستند التصور الاجتماعي إلى منظومة أوسع تضم الأفكار النمطية الجندرية التي تماهي بين الرجال والثقافة والعلم من ناحية، وبين المرأة والطبيعة والحدس من ناحية أخرى. فتنبع الأنوثة من هذه التراكيب والتصورات الاجتماعية التي تصبح مجموعة من القواعد تحكم سلوك المرأة ومظهرها. التي تقصد إلى جعل المرأة تمتثل لتصورات الرجل عن الجاذبية والمظهر الأنثوي المثالي. الأمر الذي يجعلها تستهلك بشكل كبير مستلزمات التجميل، وتهتم بالأزياء، والثقافة بدورها تتدخل في تكوين الإنسان/ة وصياغة تصوراتهما عن نفسهما وعن العالم. ويستجيب الإنسان/ة ويصيغا تصوراتهما، ويتعلمان الاستجابة لما هو متوقع منهما اجتماعيا. فهما (الرجل والمرأة) يعدلان أحوالهما لتتناسب مع ما هو متوقع منهما، فالتصورات المترسخة والتي يكتسبها الإنسان/ة كنواتج اجتماعية معنوية من خلال التفاعل مع البيئة المحيطة. تترسخ بواسطة اللغة، وتكتسب عبرها. ومن خلال هذه التصورات يكتسب الجنسان البنت والصبي مواقف معينة مميزة لجنسهما. (شوي،1995).

وللتنميط دور كبير في توجيه الإدراك وتنظيم العمليات المعرفية التي تنتج عنه، وبالتالي توجيه التفاعل مع البيئة المحيطة، وكيفية اختيار السلوك المناسب مع الأفراد، وكيفية التعامل مع المحيطين/ات. وتظهر هنا أهمية وخطورة التنميط باعتباره يدفع الفرد إلى اللجوء إلى الصورة النمطية التي تعمل كأطر معرفية توجه السلوك والتفاعل على نحو يتفق مع هذه الصور النمطية. وإذا كانت الصور النمطية سلبية فستحدد التصورات حول الأشخاص المحيطين/ات ومن ثم تحدد كيفية السلوك والتعامل معهم/هن. وكذلك الأمر إذا كانت إيجابية. ومن خلال التصورات التي يملكها الفرد والتي تشمل التنميط يتم البدء في التعامل مع الآخر/الأخرى من منطلق القوة والفوقية، باعتبار الآخر/الأخرى خارج إطار الجماعة التي ينتمي إليها الشخص. ومن هنا يصبح التعامل على أساس من التعصب أو التمييز أو الاستغلال للآخر/للأخرى. (ساري،1999).

وإن التصورات الجندرية المرتبطة بالسلوكات والأدوار الملائمة لكل جنس ترتبط بعمليتين أساسيتين كنوع من أنواع الضبط الاجتماعيsocial control ؛ وذلك لتحقيق الامتثال conformity للأيديولوجية الجندرية والمعايير السائدة. وفي حالة عدم وجود الامتثال non-conformity يصبح هناك عقاب .punishment ويرتبط العقاب بعمليتين أساسيتين هما:

-1الانحراف : deviance ويقصد به عدم امتثال الشخص ذكرا كان أم أنثى إلى المعايير الاجتماعية والتصورات الجندرية المرتبطة بالجنس. ويتم الاستجابة لعدم الامتثال بردود فعل سلبية تظهر نحو الشخص المبادر بالسلوك المنحرف عما هو متداول ومقبول اجتماعيا.

-2الوصم : stigmatization أي عملية الاستجابة للأفراد الذين يملكون خصائص جسدية غير مرغوبة اجتماعيا. والوصم صفة تقتحم اهتمامنا، وتحدد استجابتنا للأفراد الموصومين/ات. وهي تمنع هؤلاء الأفراد من التفاعل مع الآخرين أو إقامة علاقات اجتماعية طبيعية معهم/هن(Crawford & Unger,2000) .

النظام الأبوي وتطور مفهوم الجندر

يعني النظام الأبوي " :Patriarchy System تكوينا اجتماعيا ثقافيا ينتج عن ظروف حضارية وتاريخية، ويتميز بخصائص معينة في كل مرحلة من مراحل التاريخ، فيما يتعلق بطرق التفكير والسلوك وأنماط التنظيم الاقتصادي والاجتماعي والثقافي الذي يجعل الرجل على رأس الهرم؛ فيصبح المحور الذي تدور حوله العائلة، والعمود الفقري في المجتمع. " (الحيدري،2003).

وإن أهم ما يميز المجتمع الأبوي سواء القديم أم الحديث هو النزعة الأبوية البطريركية التي تعني إعلاء من شأن الرجل أيا كان موقعه لدرجة تصل إلى

تأليهه أحيانا. وتكون العلاقات في التفاعل الاجتماعي ضمن هذا النسيج الاجتماعي قائمة على الهرمية والتسلط من جهة، والخضوع والطاعة من جهة أخرى. وهي تنعكس في التنشئة الاجتماعية وتتمحور في الثقافة السائدة ومكوناتها من قيم وعادات وتقاليد، وتساهم في تشكيل وبناء نمط الشخصية وطريقة التفكير والسلوك، وبالتالي توجيه التصورات السائدة حول الذات وحول الآخر/الأخرى. فتترسخ بذلك القيم والعلاقات الاجتماعية التي يحتاج إليها المجتمع الأبوي البطريركي لاستمراره وإعطائه جواز البقاء.

وقد استعارت Kate Millett مصطلح البطريركية من البطريركية اليونانية Greek Patriarchyالتي كانت تعني "رئيس القبيلة" في القرن السابع عشر، والتي كانت ترتبط بالقوة الملكية انطلاقا من أن قوة الملك على شعبه تعادل قوة الأب على أسرته، وأن تلك القوى مدعومة من اللـه ومن الطبيعة . وهذه القوة مكونة من جزئين: الذكور يحكمون الإناث، والذكور الكبار بالسن يحكمون صغار السن. ولم تميز ميليت بين قوة الذكور الممارسة في إطار العائلة، وتلك الممارسة في المجتمع ككل. وتعني البطريركية حكم الآباء. وقد اشتق هذا المفهوم من ماكس فيبر الذي أعاده إلى الشكل التقليدي من السلطة المرتبطة بالرجال كرؤساء للعائلة . (Jackson & Scott,2002;Bryson,1992) .

وتحدثت سلفيا والبي Sylvia Walby عن شكلين للنظام الأبوي -:

1. النظام الأبوي الخاص Private Patriarchy

وهو سيادة الرجل على المرأة في المنزل، وهذه استراتيجية لإقصاء وتهميش المرأة من خلال منعها من أخذ فرصة متساوية في الحياة العامة.

2. النظام الأبوي العام Public Patriarchy

ويظهر كأنه مشاركة بين الجنسين. فالمرأة في ظل هذا النظام تشارك في السياسة، وسوق العمل، ولكنها تبقى معزولة عن التحسن في الوضع المادي، والقوة، والمكانة الاجتماعية.

(Giddens, 2001)

وإن المجتمع العربي مجتمع قرابي. تقوم بنيته التقليدية على وحدات اجتماعية أساسها القرابة التي تتمثل بالعائلة، والتي بدورها تعتبر جزءا من الحمولة فالفخذ، فالعشيرة، فالقبيلة. ومن ثم الاتحاد بين هذه القبائل مشكلة المجتمع بشكل عام. وبما أن العائلة كوحدة اجتماعية في أنساق البناء الاجتماعي هي المؤسسة الأكثر قوة وتأثيرا في المجتمع فهي أيضا تعتبر القوة التي تساعد على مواكبة أو مقاومة التغيرات والتحولات الاجتماعية، والمحافظة على هوية المجتمع واستمرارها وهذا ما يفسر استمرار النظام الأبوي على مر العصور. فالعائلة بعلاقتها المتبادلة مع المجتمع تعتبر الخلية الثقافية الأولى التي تنقل وتجدد النزعة الأبوية، ومن ثم تشكل كل بنيات التسلط الأخرى؛ لأن علاقة الأبوين بأبنائهما وبناتهما تسير في طريق التماهي مع الجنس الواحد. فعلاقة الأب مع ابنه أقوى من علاقة الأم بابنها. وهي تقوم على الصحبة والتعاون والاحترام. في حين أن علاقة الأم بابنتها أقوى من علاقة الأب بابنته وتحصل غالبا في الحيز المنزلي، ويكون الأب في هذه العلاقة الرباعية على رأس الهرم، وهو السلطة التي تعاقب والواجب إطاعتها. الأمر الذي يؤدي إلى أن تنطبع صورة المرأة في ذهن الرجل باعتبارها ماكرة وغادرة وجاهلة وإنسانة غير كاملة، ولا عقل لها أو ناقصة العقل. أما صورة الرجل في ذهن الرجل فتنطبع معلنة أنه مخلوق محصن ولا يريد من المرأة سوى إشباع شهوته الجنسية. (الحيدري،2003؛ الأمين،2005)

وقد ارتبط التميز بين الذكر والأنثى منذ أن بدأت الروايات والأساطير بتفسير قصة خروج آدم وحواء من الجنة، على الرغم من أن القرآن الكريم ساوى بينهما في الخطيئة ولم يفاضل آدم على حواء. إلا أن الأساطير اللاحقة والتفسيرات والتأويلات أكدت على أصلية وأزلية خطيئة حواء التي تشكل بنية وجودها. واعتبرت خطيئة آدم وخروجه من الجنة فيها حكمة وهي" عمارة الدنيا". وقد شكلت هذه الأسطورة الاختلاف الأزلي بين الذكر والأنثى الذي بني عليه التمييز بينهما فيما بعد. فالفارق بين مكانة الرجل والمرأة في المجتمع ليس بيولوجيا، وإنما أيدولوجي وثقافي وتاريخي. وإن أسطورة آدم وحواء واعتبار حواء سبب الخطيئة ساهم في إسقاط قيمة المرأة وإعطاء الذريعة للرجل للسيطرة عليها وتبرير تسلطه عليها منذ قيام النظام الأبوي. فالمرأة والرجل لا يختلفان من حيث إنسانيتهما. وإذا امتاز الرجل على المرأة بنواح فهي أيضا تمتاز عنه بنواح أخرى كثيرة. وإن عدم صلاحية المرأة للعمل في مواقع معينة هو بسبب حالة العبودية التي نشأت عليها فأتلفت مواهبها وإمكانياتها. وهذا يعتبر من مظاهر التخلف الاجتماعي وتأخر المجتمعات. ويؤكد الأدب العربي أن تقهقر وضع المرأة وإذلالها يعود إلى فقدانها مكانتها الحقيقية ودورها الحيوي في المجتمع.

وإن التنازلات التي تقدمها المرأة للانسجام مع نمط الحياة السائد قد أفقدها بالتدريج وعلى مر الزمن قوتها على التحمل واستقلاليتها؛ مما جعلها تتعود على نمط الحياة التقليدي السائد. فالتسلط والخضوع يأتيان من المرأة نفسها ثم من الأب البطريركي. والتغير في وضع المرأة القاعدة الأساسية لتغيير وإصلاح وضعيتها الاجتماعية والثقافية، ولتغيير وعي الرجل وتحرره من قيود بطريركيته. فالرجل بسبب التنشئة الاجتماعية، والثقافية، والتكوين النفسي أعلى من قيم الرجولة التي اكتسبها من المجتمع الأبوي مما ساهم في تكوين تصوراته عن

نفسه وعن المرأة. فأصبح لا يتقبل أن تحصل المرأة على حريتها وحقوقها ومساواتها به، حتى لو كان مقتنعا نظريا وادعى أنه من دعاة التحرر والمساواة. والسبب وراء ذلك يعود إلى أن تنشئته الاجتماعية الأبوية التقليدية تؤكد ذلك على مستوى الواقع والسلوك وتدعم تفوقه كرجل أولا ثم تفوقه على المرأة ثانيا منذ اللحظة التي يعي فيها بأنه ذكر وأنها أنثى .

وإن التغيير الجذري للنظام الأبوي والهيمنة الأبوية التقليدية لا يتم بتغيير العلاقة التسلطية بين الرجل والمرأة على مستوى نظري. وإنما يجب أن يكون على مستوى الممارسة العملية في الواقع الاجتماعي؛ وذلك من خلال تغيير الأطر الاجتماعية التي تحيط بعملية التنشئة الاجتماعية ومؤسساتها، وخلق قنوات تربية تقوم على المساواة التامة بين الذكر والأنثى منذ الولادة مرورا بعملية التنشئة الاجتماعية في الأسرة ثم التربية والتعليم والعمل حتى الكبر والشيخوخة. ويكون ذلك على مستوى الحقوق والواجبات، وتقسيم العمل داخل البيت وخارجه بشكل متساوي بين الجنسين، وعلى جميع مستويات الحياة الاجتماعية والاقتصادية والسياسية. ثم تعديل القوانين المدنية والأعراف الاجتماعية. فهذا كله يساعد على تغيير بنية العائلة الأبوية البطريركية التقليدية التي هي الوحدة الأساسية لتغيير بنية المجتمعات الأبوية المهيمنة على مجتمعات العالم بأسره.

ويشير المجتمع الأبوي إلى شكل من أشكال المجتمعات التقليدية الراكدة عن مواكبة التقدم والتحديث، ويتغلغل في البنى الاجتماعية كافة كالدولة والمجتمع والاقتصاد والثقافة، ويمتد ليصل إلى الأنساق الفرعية في العائلة والشخصية. كما يشير مصطلح النظام الأبوي إلى علاقات القوة التي تخضع في إطارها مصالح المرأة لمصالح الرجل، وتتخذ هذه العلاقات صورا متعددة بدءا من تقسيم العمل على أساس الجنس والتنظيم الاجتماعي لعملية الإنجاب إلى

المعايير الداخلية للأنوثة التي نعيش بها، وتستند السلطة الأبوية إلى المعنى الاجتماعي الذي تم إضفاؤه على الفروق الجنسية البيولوجية. فالنظام الأبوي أيديولوجية تتخلل كل جوانب الثقافة. ويتعامل النظام الأبوي على مستوى القوالب النمطية لتصنيف أدوار المرأة وخصائصها التي تعتبر أنها تختلف اختلافا جوهريا عن أدوار الرجل وخصائصه. وفي إطار هذه المقابلة الثنائية يصنف المؤنث على أنه الأدنى، ويعلى من شأن المذكر. فيعرف النظام الأبوي النماذج الأولية للمؤنث والمتكرر والثابت، ثم يشجع المرأة على التماهي مع هذه الصور النمطية. لذلك تعتبر القولبة والصياغة النمطية جزءا من عملية أيديولوجية تسمح باستحضار المرأة واستدعائها إلى ساحة الأيديولوجية الأبوية. (جامبل،2002).

وتسقط مقولة أن الرجال في المجتمع الأبوي ذوو مكانة أعلى تقوم على أساس وجود فروق طبيعية بين الجنسين، وأنها نتيجة لتقسيم فطري للعمل، وذلك بسبب وجود مجتمعات أموية ماتريركية كانت سائدة في المجتمعات البدائية في أنحاء مختلفة من العالم. فكانت النساء تمتلكن نفس الخصائص التي يمتلكها الرجال الآن، بينما كان الرجال يملكون الخصائص نفسها التي تملكها النساء الآن. وبالمقابل كانت توجد مجتمعات وما زالت تقوم على المساواتية بين الجنسين. (شوي،1995).

ولقد تحولت المرأة بفعل الحضارة والتاريخ إلى كائن ثقافي، جرى استلابها وبخست حقوقها، لتكون ذات دلالة محددة ونمطية وليست جوهرا أو ذاتا وإنما مجموعة صفات. وتعتبر الثقافة الذكورية هي النموذج الإبداعي المتاح والممكن لخيال المرأة وطموحها الذهني، ولا خيار سواه. ولم يتشكل بعد بديل للنموذج الذكوري؛ لذا بقيت المرأة تشعر بالوحدة في عالم ثقافي حكمه وما زال يحكمه الرجل؛ لأن الرجل كتب التاريخ وصاغه لغويا في نص ثقافي

مترابط، لذلك ظهر وكأنه صانع التاريخ وحده، وظل الرجل يقرأ المرأة بعينه ويفسرها بأحاسيسه، وظلت المرأة نصا شهوانيا تتمتع به حواس الذكر وتلتهمه (الغذامي،1997). لأن العقلية الذكورية ما تزال تنظر إلى الأنوثة على أنها جسد فقط يتم تقليصه في أجزاء محددة من الجسد، فليس كل ما في الجسد مطلوب أو شرط للأنوثة، بل أن بعضه منافي للأنوثة مثل العقل واللسان والعضلية الجسدية التي ترمز إلى القوة فهي أمور تنافي الأنوثة، فإن ظهرت يتم اعتبارها صفات ذكورية تظهر على الأنثى. ويتم التعامل مع الجسد بناء على القيم الأنثوية السائدة في الثقافة التي تؤكد أن ليس كل النساء إناثا، ولا يتأنث الجسد لمجرد أن صاحبته امرأة. فالأنوثة من وجهة نظر الثقافة الفحولية عبارة عن مجموعة من القيم الجسدية الصافية والمختارة والتي تحصرها الثقافة في صفات وحدود متعارف عليها. لذا يتم التركيز على النحافة وعمليات التجميل والمكياج حسب شروط الجمال المعتمدة ثقافيا. ومن هنا يصبح التأنيث مفهوما ثقافيا وليس صفة طبيعية. ولكن العكس يحدث حين تدفع الثقافة أحيانا باتجاه مضاد للشروط الطبيعية، فتظهر أمراض الأنوثة مثل: البوليميا والأنوركسيا التي تعتبر أمراضا صحية تمس غرائز الجسد وحاجاته للطعام والشراب بسبب الرغبة في التنحيف أو التجميل. ويصبح التأنيث هنا تقليصا للجسد واختصارا لوظائفه، وتقليصا للصحة وللمال أيضا. فالثقافة تكسر صفات الجسد الطبيعي المتماثلة فطريا، وتفرق بين أفعال الجسد المذكر وأفعال الجسد المؤنث، فتوجد ثقافتان ولغتان وجسدان، حيث يمنح الأسمى والأرقى والأفضل للذكر، وتبقى الأنثى محصورة في صفات التأنيث تبعا لجمالها، وقدرتها على الإنجاب. وإذا اختفى هذان العنصران اختفت معها وظيفة الجسد المؤنث لأنه ليس مصدرا للعقل، لذلك يرتبط واقع المرأة العربية بواقع الرجل كما ارتبط تاريخها منذ بداية الحياة بتاريخ الرجل واستمر كذلك على مر العصور (الغذامي،1998).

فقد بدأت سلطة الأب بعد انتشار الزراعة التي اكتشفت من قبل المرأة وكانت ثورة الإنسان الأولى على الطبيعة. ولقد اكتشف باخوفن المؤرخ في علم الأديان المقارن مرحلة حضارية قديمة ومهمة في تاريخ المجتمعات الانسانية. وأطلق على هذه المرحلة اسم كتابه "حق الأم"، وأكد فيه أن سلطة المرأة سادت في المجتمع القديم. وقد اعتمد في ذلك على الأساطير والرموز والأرقام الأثرية القديمة كأحد المصادر التاريخية (الحيدري،2003). فالأسرة العربية مرت بعدة مراحل في تطورها حتى وصلت للشكل الحالي. وتحدث فردريك انجلز عن هذه المراحل معتمدا على النتائج التي توصل لها الانثروبولوجي الأمريكي لويس مورغن. ففي المرحلة الأولى لتطور الأسرة كان الإنتاج الاقتصادي يرتكز على الصيد وجمع الثمار، وكانت الملكية جماعية واتسمت العلاقات بين الرجل والمرأة بالمساواة. كانت المشاعية البدائية في كل مجال تميز هذه المرحلة، ثم تطور نظام الإنتاج الاقتصادي في المرحلة الثانية، وأصبح يعتمد على تدجين الماشية والرعي والزراعة؛ مما أدى إلى استقرار القبائل ونشوء القرى، وتحول نمط العائلة إلى الثنائية بين رجل وامرأة فقط. بعد أن كانت العلاقة مشاعية. وبظهور الملكية الخاصة خسرت المرأة استقلاليتها ومساواتها مع الرجل. ثم حصلت الهزيمة التاريخية للمرأة كما وصفها انجلز .Women Historical Defeat ثم ظهر النظام العائلي الأبوي التوارثي الذي بدأ يتطور حتى استقر وبقي للوقت الحاضر. (بركات،2000) .

وفي المرحلة البدائية المشاعية كانت قوة المرأة كافية للعمل في البساتين. حيث أن تقسيم العمل كان متساويا بينها وبين الرجل. فالرجل يصطاد وتبقى هي في المنزل لتقوم ببعض الأعمال الإنتاجية كالنسيج والبستنة، فقد كانت

لها مساهمة في الحياة الاقتصادية. وفي المرحلة الثانية عندما اكتشف المعادن واخترع المحراث وزادت صعوبة الاستثمار الزراعي بدأت الملكية الفردية والملكية الخاصة بالظهور. وأصبح الرجل يملك الأرض والمرأة والعبيد، وهنا حدث الانكسار التاريخي الكبير للجنس النسائي كما وصفه انجلز .*

وقسم العمل بين الجنسين في المراحل المتطورة للأسرة مما أدى لفقدان قيمة العمل المنزلي أمام العمل المنتج للرجل، فبعد أن كان العمل المنزلي يضمن للمرأة استقلاليتها أصبح ذريعة لسيطرة الرجل عليها؛ فحل الحق الأبوي محل الأم، وبدأت الأسرة الأبوية القائمة على الملكية الفردية بالتطور وزاد خلالها اضطهاد المرأة. (ديبوفوار،1997).

والأسرة الأبوية لم تر في المرأة إنسانا، وإنما رأت فيها شخصا قاصرا ومعتمدا على الرعاية مدى الحياة؛ مما ولد لديها صفة الاتكالية والخضوع، وحد من نمو شخصيتها واستقلالها وعقلها فبقيت قابعة تحت الرقابة الأبوية بدلا من أن تسعى لزيادة وعيها وثقافتها. ويعطي المجتمع الأبوي للمرأة السلطة العاطفية من حنان وعطف وتدبير وغير ذلك. ولكن هذه السلطة تبقى سلبية؛ لأنها مشروطة بممارستها في إطار قوانين الرجل وسلطته القانونية الأبوية. وبالمقابل يعطي المجتمع الرجل السلطة الأقوى اجتماعيا، والمتمثلة في سلطة الاقتصاد والقانون. إن علاقات القوة السائدة في المجتمعات التي تقوم على النظام الأبوي قد تسمح للنساء بالحصول على نسبة ضئيلة من القوة والامتيازات، وحينها تكون خاضعة لمفاهيم وأساليب الرجال. وإذا حصل ذلك فإن الرجال ينظرون إلى هذا الأمر على أنه استثناء أو كسر للقواعد السائدة. (مكي،1993؛عرابي،1999).

---

*للمزيد انظر/ي Frederick Engels,"The Origin of the Family,Private Property and the State,in the light of the researches of Lewis H.Morgan.New York:Pathfinder Press;International Publishers,(1972).p.p(19-21).

وإن المنظومة القيمية السائدة في المجتمعات بشكل عام والمجتع العربي بشكل خاص تقوم على مفهوم تفوق الرجل على المرأة. وبحكم الطبيعة الرجولية عومل الرجل كنموذج بيولوجي واجتماعي للبشرية، وعوملت المرأة على أساس مرجعية أساسية هي الرجل. ومن ثم أصبحت المرأة جنسا ناقصا وذلك لأنها لا تشبه الرجل. فمفهوم الأنوثة كثقافة صنعته أدوات السلطة في علاقتها مع الرجل. ولأن هذه الثقافة ربطت الأنوثة بالسلبية؛ فقد أبعدتها وأقصتها عن أرضية السلطة وصنع القرار؛ لأن المرأة ناقصة بالمعنى البيولوجي والنفسي والاجتماعي. وقد رافقت هذه القيم التاريخ مما عرض المرأة للتهميش والإقصاء خلف العلاقات السياسية والاجتماعية . (المساعد،2003 .(

وربط كونيل R.W.Connell ما بين الذكورة masculinity وبين النظام الأبوي patriarchy ، فاعتبر الذكورة الجزء الأساسي في نظام الجندر gender order ولا يمكن فهم هذا النظام بمعزل عن الذكورة أو حتى عن الأنوثة؛ لأن كلا من الذكورة والأنوثة يتمحوران حول شيء مركزي ألا وهو سيادة الذكور على الإناث. ويعتبر كونيل أن القوة التي يملكها الرجال في المجتمع هي الأساس في وجود واستمرار عدم المساواة الجندرية. فالعلاقات الجندرية تتحدد نتيجة للتفاعلات والممارسات اليومية للناس العاديين في حياتهم الشخصية والمرتبطة مباشرة مع التنظيمات الاجتماعية الجمعية، والتي يتم إنتاجها وإعادة إنتاجها عبر الزمن والأجيال. على الرغم من كونها قابلة للتغيير. وقد حدد كونيل ثلاثة مجالات في المجتمع متفاعلة مع بعضها تؤدي إلى وجود نظام الجندر وهي -:

1. أنماط علاقات القوة power patterns ما بين الذكورة والأنوثة السائدة في المجتمع والتي توجد من خلال السلطة، العنف، والأيديولوجية السائدة في المؤسسات وفي الدولة وأيضا في الحياة المنزلية.

2.أنماط العمل labor patterns والتي تعود إلى تقسيم العمل على أساس الجنس سواء في المنزل فيما يتعلق برعاية المنزل وتربية الأطفال أم في سوق العمل من خلال عدم تساوي الأجور، والعزل الجندري بين الجنسين gender segregation .

3. العلاقات الزوجية cathexis وتتضمن العلاقات الخاصة والقوية والعاطفية في إطار الزواج وإنجاب الأطفال . (Giddens,2001).

والنظام الأبوي يتم الحفاظ عليه كعملية دائمة ومستمرة تبدأ من مرحلة الطفولة من خلال عملية التنشئة الاجتماعية في إطار العائلة، ويتم تعزيز هذه العملية في نظام التعليم لاحقا. كما أنها ترتبط أيضا بالدين. وتعمل هذه العملية على استدخال القيم للجنسين بشكل متشابه، ولكنها تشكل لدى بعض النساء كرها ورفضا للذات، وقبولا للتبعية والدونية. ويعتمد النظام الأبوي على الاستغلال الاقتصادي واستخدام القوة، وهذا يدل على همجية هذا النظام وممارسته العنف ضد النساء على مر التاريخ. لذلك ترى كايت ميليت أنه لن تتحقق المساواة إلا إذا تم التخلص من النظام الأبوي بشكل تام.(Bryson,1992) .

التنشئة الاجتماعية وتطور مفهوم الجندر

تعتبر عملية التنشئة الاجتماعية Socialization Process مظهرا من مظاهر التفاعل الاجتماعي المقصود والمقنن. وتقوم الأسرة والمدرسة تحديدا بترتيب المواقف التفاعلية في هذا التفاعل. حيث ينتقل الإنسان/ة من خلال هذه العملية من الفردية السوسيولوجية إلى الشخصية الاجتماعية التي تؤثر وتتأثر بسلوكات الآخرين. واكتساب ما يحتويه النظام الثقافي السياسي الاجتماعي واللغوي السائد في هذا المجتمع. من خلال التفاعل الاجتماعي مع الأفراد

والجماعات. ويكون التفاعل بينهم/هن إما بشكل التقليد و المحاكاة أو المشاركة بهدف إشباع حاجات الفرد، وتحقيق أهداف واستقرار المجتمع. فالتنشئة الاجتماعية تعتبر وسيلة للتنميط الجنسي sexual typification ، أي تحديد صفات الذكورة والأنوثة وفقا لثقافة المجتمع. وهي وسيلة التماهي الجنسي sexual identification أيضا، حيث تتماهى الأنثى مع أمها، ويتماهى الذكر مع أبيه. لذلك تعتبر التنشئة الاجتماعية المسؤولة عن وجود الفروق الجندرية بناء على الجنس، وذلك من خلال تدعيمها لأنماط سلوكية خاصة بالذكور وأخرى خاصة بالإناث. وتنبع هذه الأنماط من النظام الثقافي السائد في المجتمع. (عقل،1988. (

مراحل عملية التنشئة الاجتماعية :

تمر عملية التنشئة الاجتماعية بمرحلتين أساسيتين-:

1. التنشئة الاجتماعية الأولية : Primary Socialization والتي تظهر في مرحلة الطفولة المبكرة. وتعتبر أهم وأخطر مرحلة في حياة الإنسان/ة حيث يتعلم الأطفال من خلالها بشكل مكثف محتويات الثقافة المحيطة من مثل: اللغة، وأنماط السلوك الأساسية التي تشكل الأساس لمراحل التعلم اللاحقة. وتعتبر الأسرة أول مؤسسة اجتماعية أساسية في هذه العملية وفي تلك الفترة. فيتعلم الأطفال المطلوب منهم/هن ليتم قبولهم/هن في المجتمع خصوصا اللغة والمهارات اللازمة في عملية التفاعل الاجتماعي مع الآخرين .

2. التنشئة الاجتماعية الثانوية : Secondary Socialization وتمتد هذه المرحلة من مرحلة الطفولة المتأخرة حتى مرحلة البلوغ، وتأخذ مؤسسات التنشئة الاجتماعية الأخرى بعض المسؤوليات عن الأسرة في هذه المرحلة: كالمدرسة، والأصدقاء، والإعلام ، ومؤسسات

المجتمع المختلفة ثم أماكن العمل. والتفاعل الاجتماعي الذي يتم ضمن هذه الأطر الاجتماعية يساعد الناس على تعلم القيم، والعادات، والمعتقدات التي تشكل وتكون الأنماط السائدة في الثقافة المحيطة. (Giddens,2001) .

3. التنشئة الاجتماعية المستمرة : Continuing Socialization التي تزود الأفراد ذكورا وإناثا بالأسس لاكتساب الأدوار المختلفة التي سيمارسونها/تمارسنها خلال حياتهم/هن، فهي عملية مباشرة تستمر من المهد إلى اللحد. لها طرق وأنماط مختلفة حسب المستجدات في أي مجتمع. فهي عملية ديناميكية وليست ميكانيكية (Lindsey,1994) .

.

ويتعلم الجنسان من خلال عملية التنشئة الاجتماعية استدخال الأدوار الاجتماعية السائدة في الثقافة المحيطة، ويتعلمان كيفية ممارسة هذه الأدوار، ثم استخراج هذا الدور الاجتماعي من جهة أخرى على صورة سلوك ومواقف ومعارف ولغة من قبل الفرد. حيث يمكننا أن نتوقع من فرد في عمر معين ومجتمع معين مجموعة سلوكات ومواقف ومعارف ولغة معينة، تعبر عن شخصية هذا المجتمع، وتعكس خصوصيته. وتعتبر عملية التنشئة الاجتماعية من أهم العمليات الناتجة عن التفاعل الاجتماعي. فهي تحدد بشكل كبير ما يكتسبه الإنسان/ة من قيم ومعايير واتجاهات وتصورات وآراء وأفكار وعواطف، وذلك من خلال التأثير والتأثر المتبادلين بين الأفراد خلال عملية التفاعل الاجتماعي social interaction) عقل،1988).

وإن التنميط الجنسي التقليدي ليس له معنى في الثقافة والتنشئة الاجتماعية إلا من زاوية تثمين وضع الذكور، وتبخيس وضع الإناث. خصوصا إذا كانت صورة كل من الأنثى والذكر مرسومة بقلم ذكري. فالإكتفاء بإظهار

المرأة كعاملة في المطبخ فقط هو تنميط جنسي خصوصا إذا اعتبر عمل المطبخ ذا قيمة أدنى من عمل المكتب المحصور بالرجل فقط. فالقارىء والقارئة والكاتب والكاتبة اللذان/اللتان لا يعرفان/تعرفان شيئا عن المطبخ لا يستطيعان/تستطيعان أن يثمنا/تثمنا هذا العمل أو أن يصفاه/تصفاه بقدر ما يعرفان/تعرفان عن عملهما في المكتب. فالرجل إذا لم يدخل عالم المطبخ لن يستطيع أن يصفه. قد يستطيع وصف مائدة الطعام فقط، لذلك يعطي قيمة لعمله أعلى من قيمة عمل المرأة في المطبخ. وغالبا ما يصوغ هؤلاء المناهج وكل ما يساهم في عملية التنشئة الاجتماعية؛ لذلك تبقى الدائرة مغلقة تعيد نفسها باستمرار (الأمين،2005) . بالاضافة إلى أن هناك عناصر ثقافية ارتبطت بالنساء من الحمل والولادة وطريقة اللباس والشعر والتبرج. وأخرى ارتبطت بالرجال. وهذه العناصر الثقافية الخاصة بكل جنس تجعل كلا الجنسين غير قادر على الحلول محل الآخر/الأخرى أو استعمال تقنيات الآخر/الأخرى، ولكن يتفاعل كل جنس مع ما يقوم به الجنس الآخر/الأخرى لأنهما يحتاجان بعضهما ويكمل كل منهما الآخر. ويكون لديهما توقعات وأحكام معينة. فأدوار وتخصصات الجنسين المختلفة مرتبطة بنسق اجتماعي كلي يتبع بدوره النظام الاجتماعي السائد في ظل الثقافة التي تحيط بهما .

ويعرف دوركهايم التنشئة الاجتماعية أو التربية بأنها الفعل الذي تمارسه الأجيال البالغة على الأجيال التي لم تنضج بعد للحياة الاجتماعية. وتقوم هذه العملية على إثارة مجموعة من الحالات الجسدية والذهنية والأخلاقية لدى الطفل/ة حسب ما يتطلبه المجتمع، وحسب الوسط الخاص الذي ينتميان إليه. ويؤمن دوركهايم بأنه لا يوجد نموذج مثالي للتنشئة الاجتماعية يخص جميع التخصصات وفي جميع الأوقات، وإنما هناك النموذج المثالي يخص كل

مجتمع على حدى، وهو يتغير عبر الزمان والمكان، ويخص المجتمع في مرحلة معينة من تطوره. وهو يفرض نفسه على الأفراد بقوة؛ لأنه نتاج أجيال سابقة. وتتكون أنظمة التربية تاريخيا بناء على النظام الديني والسياسي والعلمي والتكنولوجي والصناعي السائد في تلك الفترة .
(الأمين،2005)

ويوجد ارتباط وثيق بين الأم وأبنائها وبناتها. ففي السنوات التأسيسة التي تتشكل فيها النفسية يكون للأم تأثير كبير في تكوين الشخصية. فإذا كانت الأم تمتلك قوة الشخصية ستغرس هذه الصفة في أبنائها وبناتها. وإذا كانت ضعيفة الشخصية فستربيهم/هن على الضعف والخنوع (الصفار،2003) . لذا تتلقى المرأة أثناء عملية التنشئة الاجتماعية تدريبا اجتماعيا يخضعها لمجموعة من التوقعات والضغوطات التي تحصرها في إطار "ربة البيت"، وتربية الأطفال أو سند الرجل في الحياة. ولا يترك لها مجالا للاختيار غير ذلك. وبالمقابل فإن الرجل يستطيع أن يكون ما يشاء، ويمثل نموذج الإنسان المستقل الحر كما وصفه فلاسفة العقد الاجتماعي. أما الطريقة المستخدمة مع المرأة العصرية لإقناعها في البقاء في البيت فتخدم الدول الرأسمالية. فعلى سبيل المثال تبرز وكالات الدعاية والإعلان المرأة العاملة كربة بيت مثالية لا تستطيع عائلتها الاستغناء عنها ولا يمكن لأحد أن يحل مكانها. وبذا تبقى المرأة في البيت مستهلكة، وتخدم بذلك الصناعة، وتسوق منتجاتها الضرورية والكمالية؛ فتنشط بذلك جيوش خبراء الدعاية الاستهلاكية لإقناعها بأن إدارة البيت هو التحدي الأكبر للمرأة مما يؤدي إلى تعزيز الصورة النمطية التقليدية للمرأة في الحياة. (بهلول،1998).

ويوضع منذ الأسابيع الأولى حجر الأساس لدونية المرأة جسديا. وذلك لأن النشاط العضلي للمواليد الذكور يلقى دعما أشد. فالأهل وبالذات الآباء يحظرون على الصبيان السلوك الأنثوي، ويسمحون في بعض الأحيان للبنت

بسلوكات ذكورية؛ وذلك لأن الدور الذكوري هو المعيار بينما الدور الأنثوي يقاس به دائما. كما أن الخصائص والقدرات الأنثوية لا تعتبر مغايرة فقط في نوعها وإنما تعتبر متدنية القيمة في المعايير السائدة. وخلال عملية التنشئة الاجتماعية تطور النساء بنى فيزيائية ونفسانية وعقلية تتناسب مع ما يسمى بالطبيعة الأنثوية، وتستخدم هذه البنى لإضفاء الشرعية على المنزلة الدونية للمرأة. فيغدو واجبا على النساء تطوير القدرات والمهارات الملائمة للأعمال التي ألقيت على عاتقهن، وهي مسؤولية العمل المنزلي وتربية الأطفال وراحة الزوج. ولا يعود ذلك إلى أن النساء يملكن منذ ولادتهن بنى فيزيائية ونفسانية وعقلية معينة تجعلهن يقمن فقط بمثل هذه الأعمال وإنما يعود لعملية التنشئة الاجتماعية. (شوي،1995).

وتختلف توقعات الأهل من الذكور عنها من الإناث. فهم يجدون الأنوثة في اللباس الجميل والعادات البيتية والاهتمام بالأسرة والأطفال والتماثل مع المرأة. ويتوقعون أن تكون الإناث أكثر اهتماما بالناس من الصبيان، فتهتم الإناث بالنظر إلى وجوه الناس وتعابيرهم/هن. ويتوقعون من الذكور انشغالهم بتركيب الأشياء، والاهتمام بالمركبات بشتى أنواعها، ويهتم الذكور بالأشياء والأفكار، لذلك يسمح الآباء والأمهات للبنات القيام بسلوك صبياني، ويرفضون بالوقت نفسه أي سلوك أنثوي من الصبيان. وينقاد الأطفال لتصورات تتضمن الوظيفة الاجتماعية للكبار- سواء أكانوا نساء أم رجالا- ولعلاقاتهم/هن ببعضهم/هن، وبالمثيرات من حولهم/هن. وهو أمر تكتسب من خلاله الإناث معايير وقواعد وأحكام النساء. وبما أن مجالات الحياة ليست كلها مفتوحة أمامهم/هن، فإنهم/هن يشخصون في ألعابهم/هن صلات الكبار ببعضهم/هن وبالأشياء. ويكتسب كل من الذكر والأنثى في اللعب معايير مختلفة. فتكتسب الإناث

مهارات ومواقف وأنماط سلوك مميزة تشخص فيه صلات المرأة بالناس الآخرين وبالأشياء، ويكتسب الذكور مهارات وخصائص واهتمامات رجالية مميزة. وبناء على ذلك يكتسب كل من الذكور والإناث تصورات عما هو جيد وما هو رديء بالنسبة إلى جنس كل منهما وما يجوز وما لا يجوز لكل منهما فعله.

وإن البنات المولودات حديثا قد يلقين إجحافا من قبل الأهل في مجال الإثارة اللمسية والحس حركية. وفي كثير من الأحيان يلقين تقييدا في حركتهن حتى لا يصبحن شرسات في المستقبل. وهذه الإعاقة للبنات الرضع يمكن أن تؤدي إلى التقليل من النشاط الانعكاسي الحركي؛ فتصبح البنات في المستقبل سلبيات في تصرفهن. وبالمقابل ستؤدي زيادة الإثارة لدى الصبيان إلى زيادة النشاط الانعكاسي الحركي، ويصبح الصبيان أكثر حيوية. وإن هذا التمييز من قبل الأمهات للذكور والإناث حديثي الولادة سواء في مرحلة الرضاعة وما بعدها يعود إلى الاحترام اللاشعوري لدى النساء تجاه السلطة الذكورية. فالأم ترى في مولودها الصغير الذكر الرجل وتعترف له بإرادته الخاصة أثناء عملية الرضاعة والاستراحة والتوقف عن شرب الحليب، وفي نفس الوقت تقاوم إرادة البنت. (شوي،1995).

وإن التنشئة الاجتماعية السلبية التي تتلقاها الفتاة تحد من حب الاطلاع والمبادرة والإبداع، ولا تفي الطموحات المهنية والعلمية، مما يعمق الهوة بين المرأة والمجتمع، ويضعف في المرأة روح العمل والإنتاج. وهذا يفسر قلة مشاركة المرأة في التنمية الاقتصادية والاجتماعية والسياسية. ويتسبب في ضعف الحركات النسائية في المجتمع العربي. فالمرأة تحاكي الأم في أدوارها؛ لأنها النموذج المرجعي لها. وتنشأ الفتاة للحياة التقليدية والزوجية بينما ينشأ الولد ليحاكي أباه ويعد للحياة العامة. (عرابي،1999).

وإن تصورات الوالدين حول أدوار الجنسين، وطريقة سلوكهما معهما لها تأثير كبير على سلوكات الأطفال فيما بعد وعلى تطورهم الجندري أيضا Gender Development ويبدأ هذا التأثير حتى في مرحلة الحمل. عندما يصف الأب والأم حركة الطفل في رحم الأم بأنها شبيهة بالزلزال عنفا إن كان المولود ذكرا. وبأنها شبه معدومة لا تكاد تشعر بها الأم ولا يلحظها الأب إن كانت المولودة أنثى. هذا التصور قبل ميلاد الطفل/ة يستمر تأثيره عليهما فيما بعد من خلال توقعات الأهل الجندرية من الأطفال بعد الولادة. إن الأب والأم ليسا العامل الوحيد فقط في التنشئة الاجتماعية الجندرية للأطفال. فكما أشارت ساندرا بيم Sandra Bem في حديثها عن سكيما الجندر Gender Schema أن الطفل/ة يكتسبان الأفكار والسلوكات المناسبة لجنسهما من خلال أفراد الأسرة الآخرين أيضا ومن الأقارب بشكل عام، ومن المعلم/ة، ومن وسائل الإعلام، والمناهج وقصص الأطفال أيضا حسب ما ظهر في دراساتها. فالتفاعل المختلف ما بين الأب والأم وما بين الأطفال يخلق فروقا جندرية بين الجنسين فيما يتعلق بتقييم الذاتself-evaluation ، فالذكور- والأهل من ورائهم- يعزون نجاحهم لقدرتهم العالية، وفشلهم لعوامل خارجية أثرت عليهم في تلك الفترة. أما الإناث وأهلهن أيضا فيعزون نجاحهن لعوامل خارجية كالحظ مثلا أو سهولة الموقف أو الامتحان، أما في حالة فشلهن فيعزون ذلك إلى قدرتهن العقلية ونقص القوة لديهن. (Walsh, 1997) .

ويتم اكتساب الأطفال للصور النمطية، والأدوار الجندرية من خلال عملية التنشئة الاجتماعية التي تؤكد الثقافة السائدة، وتنقلها من جيل إلى جيل. ويتم تعزيز هذه الصور النمطية والأدوار الجندرية من خلال عملية الضبط الاجتماعي social control الذي بدوره يتحدد من خلال المعايير السائدة في الثقافة المحيطة بعملية التنشئة الاجتماعية. فالثقافة تعرف مدى الانحراف deviance عن هذه المعايير أو درجة الامتثال conformity ومن ثم تحدد

أساليب الثواب والعقاب لتمثل أو عدم تمثل الأدوار المناطة بكل جنس. (Lindsey,1994) .

وإن المفاهيم الأساسية المتضمنة لوصف النسويين/ات لعملية التنشئة الاجتماعية وعلاقتها بتطور مفهوم الجندر تتمحور حول ثلاثة مفاهيم أساسية:-

.1التقليد imitation حيث يقلد الأطفال سلوكات المحيطين/ات بهم/هن، لدرجة قد يتوحد الأطفال فيها مع الآخرين المهمين/ات في حياتهم/هن.

.2التوحد identification حيث يتوحد الأطفال مع أحد الوالدين من نفس النوع.

.3الاستدخال internalization ويتم في هذه العملية استدخال جميع عناصر الثقافة المحيطة، والضغوطات الخارجية الممارسة على كل جنس.

(Jackson & Scott, 2002)

مؤسسات التنشئة الاجتماعية وتطور مفهوم الجندر

الأسرة وتطور مفهوم الجندر

يستدخل الأطفال بفعل العلاقة التفاعلية مع الأسرة معايير تصبح فيما بعد مقاييس يقيس بها الأطفال السلوك المناسب بالاعتماد على ملاءمته للجنس وقبوله اجتماعيا. إن دور الأطفال في عملية التنشئة الاجتماعية ليس سلبيا بمعنى: أن دور الطفل/ة في هذه العملية ليس دور المتلقي/ة فقط، وإنما يشارك الأطفال في عملية التفاعل الاجتماعي. حيث تتم الموافقة والقبول من قبل الأطفال. أو قد يحدث التعصب للمعايير والقيم رغبة في الإثابة والتعزيز. فيتأثر

دور الأسرة في عملية التنشئة الاجتماعية بدور ومكانة الطفل/ة في الأسرة، ونمط شخصية الطفل/ة سواء أكانت عدوانية أم اتكالية أو مبنية على الطاعة. (عقل،1988).

ويتوقف أثر الأسرة في عملية التنشئة الاجتماعية على نسق من العوامل البنيوية المكونة لها. كالأصل الاجتماعي، مستوى الدخل، المستوى التعليمي للأبوين، عدد أفراد الأسرة، العلاقات القائمة بين أعضاء الأسرة، والمفاهيم والقيم التي تتبناها الأسرة خصوصا المفاهيم المتصلة بأساليب التنشئة الاجتماعية. إن الأسرة العربية أسرة أبوية بطريركية تعتمد التسلط في عملية التنشئة الاجتماعية، مما يؤدي إلى إخصاء الطفل/ة نفسيا وعقليا. (وطفة،2004).

وتبدأ عملية التنشئة الجندرية للأطفال منذ الولادة من خلال الطريقة التي يعامل بها كل من الذكر والأنثى فمثلا اللباس الأزرق للولد والزهري للبنت. الولد يلعب بالسيارات والألعاب التي تحتاج إلى جهد وعنف، والبنت تجهز لها الألعاب التي تتسم بالنعومة والتي تكرس دور المرأة التقليدي كأم وكعاملة في المنزل, وهذا ما يسمى بالتنميط الجنسي. فيبدأ الطفل/ة باكتساب الأدوار الخاصة بهما من خلال العلاقة مع الأب والأم. ويبدآن بتعلم النشاطات الخاصة بكل جنس (شتيوي:1999).

وهذا يدعم التنميط الجنسي ويؤكد أن لكل من الذكر والأنثى أدوارا مختلفة لا فروقا بيولوجية فقط. وقد تحدث عملية التنشئة الاجتماعية الجندرية داخل الأسرة بطريقة مباشرة، وأحيانا بطرق غير مباشرة وذلك من خلال التفاعل الاجتماعي بين أعضاء الأسرة والأب والأم تحديدا من حيث الأدوار التي يقومان بها. فالأدوار الجندرية التي يتعلمها الاطفال تعتمد على قيم الآباء

والأمهات التي ينشئون أطفالهم/هن عليها. فالطفل الذي يتعلم كيف يسلك مسلكا يتفق مع ما هو متوقع اجتماعيا يرضى عنه المجتمع أما الذي لا يراعي التقاليد فلا يقبله المجتمع. لذلك فإن نوع الجنس ذكرا كان أم أنثى يحدد نوع المؤثرات التعليمية التي يخضع/تخضع لها. فالولد الذي يلعب مثل البنت يتعرض للنقد والإيذاء. أما البنت التي تلعب كالولد فتتعرض للسخرية والتوبيخ. والأهم من ذلك ما يحدث خلال عملية التنشئة الاجتماعية داخل الأسرة والذي يؤدي إلى التنميط الجنساني ألا وهو تفضيل الأهل والوالدان تحديدا ولادة الصبي على ولادة البنت, ونتيجة للأدوار المقسمة بين الأب والأم ينظر الأطفال لعمل الأب باعتباره ذي قيمة أكبر لأنه يجلب مالا, أما عمل الأم فينظر له باعتباره أقل شأنا إذا كانت لا تعمل. ويبدأ الأطفال بعدها بالانتباه إلى أهمية دور الرجل. وهو أمر يؤكده التنميط الجنسوي القائم على كبح المشاعر للذكور باستخدام عبارات مثل (لا تبك, الرجال لا يبكون), وكأن الرجل ليس إنسانا له مشاعر يريد التعبير عنها في مواقف الحزن كما في مواقف الفرح. ويقف التنميط الموقف المخالف من الفتيات حيث يسمح لهن بالتعبير عن مشاعرهن ويحثهن على العاطفية والتعبيرية وفي الوقت نفسه يحث الذكور ويشجعهم على العدوانية.

واذا وجه الأبوان أو أحد أفراد الأسرة المديح للفتاة فيكون تغزلا في جمالها ورقتها وملابسها أو ثناء على ما صنعته في المطبخ من طعام لذيذ. أما الذكور الذين يخافون من التشبه بالفتيات فإنهم يمدحون من قبل أسرهم غالبا على التفوق الدراسي والشجاعة والشهامة وغير ذلك. وهذا دليل على أن الفتاة عندما تبدو قبل بلوغها سن الرشد وأحيانا منذ حداثة طفولتها متميزة بطابع جنسي

خاص فهذا لا يعود إلى وجود دوافع فطرية تؤهلها لحياة السلبية والتبرج والاهتمام بزينتها والأنوثة، وإنما بسبب تدخل الآخرين في حياتها. فالطفولة تصبح مرحلة تعبوية أيديولوجية تهيأ فيها البنت كي تصبح زوجة مطيعة وأما ولودا. وكل الألعاب تكون في خدمة هذا الهدف مثل لعبة العروس، مما يقضي على الطفولة في المهد. ويتعلم الطفل/ة في السنوات الأولى اكتشاف الذات، اللغة، العادات الضرورية للتفاعل الاجتماعي مع الوالدين والأخوة/ات والأقارب.

وإن المعاملة المختلفة بين الجنسين تطور لدى الذكور أجنحة wings تسمح لهم في اكتشاف العالم الخارجي أي خارج إطار المنزل، في حين تطور لدى الإناث الجذور roots التي تربطهن بالمنزل من خلال تعليمهن الأدوار التقليدية التي تناسبهن كإناث. إن تفضيل الذكور على الإناث يتم خلال مرحلة الحمل ومنذ اللحظة الأولى من الولادة، وتفضيل إنجاب الذكور يعود إلى أن الذكر هو الذي يحافظ على استمرار اسم العائلة. ففي حالة الصين مثلا سمح للأهل بإنجاب طفل واحد فقط وإلا يتم دفع غرامة إذا كان هناك طفل آخر، وهذا دفع إلى اللجوء إلى الإجهاض أو قتل المولودة في حالة كونها أنثى والاحتفاظ بالذكر لأنه يحمل اسم العائلة ويحافظ على استمراريتها (Lindsey, 1994).

المدرسة وتطور مفهوم الجندر

تتشكل المدرسة من مجموعة من الأنظمة والقوانين والمناهج والمعلمين والمعلمات الذين/اللواتي يعتبرون/تعتبرن جزءا من المجتمع الأكبر وامتدادا لما يحدث في الأسرة وفي المجتمع الكبير من تبادل الأنماط الثقافية السائدة. فالطلبة بعد دخول المدرسة يمضون فيها وقتا أطول مما يكرس مفاهيمهم/هن

عن أنفسهم/هن، وعن جنسهم/هن، وأدوارهم/هن الجندرية حسب ما يتلقون منها. بالاضافة إلى أن المناهج المدرسية على الرغم من التعديل الذي طرأ عليها ما زالت تميز بين الذكور والإناث من خلال اللغة المستخدمة التي تستخدم لغة الذكور لمخاطبة الجنسين، ومن خلال تكريسها للصورة التقليدية للجنسين.

وتأتي المدرسة في المرتبة الثانية بعد الأسرة في أهميتها. حيث تقوم المدرسة بعملية التنشئة الاجتماعية بصورة مقصودة، وهادفة، ومنظمة، وبأسلوب شعوري. وهي تزيد أطراف التفاعل الاجتماعي في مواقف اجتماعية منظمة داخلها؛ فيتعلم الأطفال كيفية اكتساب الاتجاهات والمعاني والمفاهيم على أسس علمية. مما يؤثر في تشكيل الخلفية الإدراكية لهم/هن، ومن ثم تكوين تصوراتهم/هن عن أنفسهم/هن وعن الجنس الآخر. (عقل،1988. (

وإن المدرسة بجميع عناصرها تعلم الأطفال الأدوار الجندرية الملائمة للجنس سواء بطريقة مباشرة أم غير مباشرة. فمن خلال المناهج والمعلم/ة يتعلم الطفل الذكر ويتهيأ للمهنة المناسبة له في المستقبل كمعيل للعائلة Breadwinner فيعلمونه المنافسة والخشونة ليصبح رجلا فيما بعد وكل ما يتعلق بالقيم الذكورية المناسبة للمجتمع الذي يعيش فيه. أما الأنثى فتتعلم من خلال المناهج والمعلم/ة كيف تصبح زوجة وأما جيدة homemakers كما تتعلم قيم الأنوثة كالرعاية والعطف والحنان. ولا يعني ذلك أن هذه الصفات سيئة ولكن يجب أن يتم تعليمها للجنسين، وأن لا يتم ربطها بجنس معين. بل يجب الأخذ بعين الاعتبار الفروق الفردية في القدرات بين الجنسين والرغبة لدى أي جنس للقيام بمهنة معينة (Lindsey, 1994) .

والمعلم/ة غالبا ما يظنان أنهما يتعاملان بشكل محايد مع الجنسين، ولكنهما في الحقيقة يكرسان الدور التقليدي، والصورة النمطية للجنسين. ففي حين يشجع الذكور على تطوير مهاراتهم الرياضية والحسابية، تشجع الاناث على التدريب المنزلي وتنمية مهارات الرعاية والأنوثة والعطف والعناية في الطبخ والأولاد. حتى في حصص الرياضة لا تكون الألعاب الرياضية التي يلعبها الذكور والإناث متماثلة وإنما مختلفة مما يكرس ذلك الأدوار الجندرية والاختلاف في المكانة والسلوك بين الجنسين. (Lindsey, 1994) .

الرفاق وتطور مفهوم الجندر

للرفاق أهمية كبيرة في تشكيل الأدوار الجندرية من خلال عملية التنشئة الاجتماعية وذلك لأن الرفاق يكون تأثيرهم/هن على بعضهم/هن بنسبة أكبر وأقوى وأكثر فاعلية من ضغوطات الأهل خصوصا في مرحلة المراهقة. لذلك يكون انصياع الأفراد للأدوار الجندرية التقليدية للجنس الواحد أكبر، وذلك حتى يكونون مقبولين في الجماعة لأن عدم الانصياع يجعل كلا من الصبي والبنت مرفوضين وبالتالي لا يقبلان في جماعة الرفاق (شتيوي:1999) . وهذا يجعل كلا منهما يشكل ثقافة فرعية خاصة من خلال وجودهما في بيئة صداقة مختلفة حسب الجنس مما يؤدي إلى ترسيخ أدوار كل منهما، وتعزيز الصفات الخاصة لكل من الذكور والإناث التي تدور حول العدوانية والاستقلالية والهيمنة واللعب خارج البيت للذكور, والعاطفية والرقة واللعب داخل المنزل للإناث .

ويظهر تأثير جماعة الرفاق على تطور مفهوم الجندر وتشكيل الأدوار الجندرية من خلال الألعاب التي يلعبها الأطفال. فألعاب الذكور غالبا ما تكون معقدة وتشجع على التفكير والإبداع والمنافسة وتخضع لقوانين وتسمح

لمشاركة عدد كبير وبأدوار مختلفة بشكل أكبر من الألعاب المخصصة للإناث خاصة وأن الأخيرة تنحصر في الباربي وأدوات المطبخ. وغالبا ما يكون عدد الإناث قليل في اللعب وتتصف ألعابهن بأنها تخلو من المنافسة وتنحصر في التعاون فيما بينهن واعتماد كل منهن على الأخرى. ومن خلال هذه الألعاب يحضر كل من الجنسين للأدوار التي سيتم ممارستها في الحياة المستقبلية لذلك يفضل كل جنس تكوين أصدقاء أو شلة من نفس الجنس فتكون العلاقات أمتن وأقوى، وتكون نسبة الثقة بين نفس الجنس أعلى من العلاقات مع الجنس الآخر.

الإعلام وتطور مفهوم الجندر

يعتبر التلفزيون أحد أهم الوسائل الإعلامية التي تستجمع في ذاتها أهم مقومات العملية الإعلامية، كالصوت والصورة واللون والحركة والإيماءة. فقد أطلق الباحثون الأمريكيون عليه لقب "الأب الروحي للطفل/ة" وأطلقوا على أطفال اليوم "جيل التلفزيون"، وهم يعنون بذلك أن الأطفال يتلقون تربيتهم/هن على أيدي ثالوث تربوي يتمثل في:- الأب- الأم- والتلفزيون. فالتلفزيون يمارس اليوم دورا تربويا بالغ الأهمية في تشكيل سلوك الأطفال ومفاهيمهم/هن وتصوراتهم/هن؛ لأنه يشكل نظاما فكريا ثقافيا تكنولوجيا لتحقيق غايات محددة. ويشكل أحد أهم وأرقى أشكال الوسائل الإعلامية المتاحة حتى المرحلة الراهنة. فالتلفزيون أحد أهم مصادر المعلومات عند الأطفال وكيف لا يكون واتجاهاتهم/هن وأفكارهم/هن تتشكل تحت تأثيره. ومن هنا فهو يشكل مدرسة أخرى للطفل/ة، وهو المدرسة الأكثر حيوية وترفيها وتسلية التي لا تقفل أبوابها ولا تغيب ألعابها . (وطفة،2004).

ويظهر الإعلام الذكور في المواقع القيادية والسياسية الهامة في حين تختفي المرأة وإن وجدت تكون في دورها التقليدي في البيت ورعاية الاطفال. ويظهر دورها هذا بطريقة مهمشة ومتدنية القيمة على الرغم من أهمية دور الأمومة ورعاية الاطفال. إن التقليل من أهمية دور المرأة يظهر أن دور المرأة ثانوي وغير هام مقارنة للأدوار المتعددة التي يقوم بها الرجل (اليونيفيم:2001). والأبشع من ذلك هو حصر البرامج والدعايات بشكل خاص في إبراز محدودية المرأة واهتمامها في مساحيق التجميل فقط مما أدى إلى ابتذالها والتعامل معها على أنها جسد فقط يستخدم لترويج منتجات معينة أو لصالح شركات معينة أو لتسويق الأغاني خصوصا في ظل ما يعرض حاليا على شاشات التلفزيون من فيديو كليب مبتذل يشوه صورة المرأة ويبتذلها ويختزلها إلى جسد فقط. لقد كرس كل ما سبق الصورة النمطية لمحدودية المرأة وعدم صلاحيتها إلا للأدوار التقليدية والسطحية. فالطفل/ة عندما يريان على صفحات الجرائد والكتب وشاشات التلفزة انحصار الحديث واحتلال المناصب الهامة في الرجل, وانحصار الترفيه والتسلية بالمرأة فبالتأكيد بناء على نظرية النمو المعرفي سيتشكل لديهما أن مكانة الرجل مرتفعة ومكانة المرأة متدنية في المجتمع مما يساهم في تشكيل مفهوم الأدوار الجندرية النمطية لديهما.

كما وأن معظم الصور التي تعرض في الإعلام في جميع أنواعه لا تعبر عن حقيقة دور المرأة وأهميتها وقدراتها وما وصلت إليه عبر التاريخ وما تفعله الآن. وإذا حاول الإعلام تقديم صورة جيدة عن المرأة فتكون عن مساهمة المرأة في بعض النشاطات الاجتماعية التي لا تخرج عن إطار دورها التقليدي.

اللغة وتطور مفهوم الجندر

قيل إن خير الكلام ما كان لفظه فحلا ومعناه بكرا، وقد حلل الغذامي (1997) هذه المقولة باعتبارها قسمة ثقافية غير متساوية، حيث يأخذ فيها الرجل أهم وأخطر مكونات اللغة وهو اللفظ. الذي يعتبر التجسيد العملي وأساس الكتابة والخطابة، ويتبقى للمرأة المعنى الذي يوجه بدوره من اللفظ. فيفقد المعنى وجوده وقيمته خارج إطار اللفظ أو الكتابة .

وقد أدت هذه القسمة إلى احتكار الرجل للكتابة وترك الحكي للمرأة. مما أدى إلى سيطرة الرجل على الفكر اللغوي والثقافي وبالتالي على التاريخ لأنه الكاتب. وهذا ما جعله صانع التاريخ واللغة وبالتالي الثقافة. في حين بقيت المرأة في جميع ثقافات العالم مجرد معنى للغة وبالتالي تابع للرجل، وليست فاعلة لغوية قائمة بذاتها. ولما كان المعنى بحاجة دائمة للفظ فقد تسبب هذا في وجود بناء وإعادة بناء مستمر لإعلاء صورة الرجل وأهميته والتقليل من شأن المرأة على مر العصور وفي جميع ثقافات العالم حتى في اللغة نفسها. وتمثل ذلك في صورة المرأة فيها أولا أو في عدم استعمال لغة خاصة تعبر عن النساء والاقتصار على استخدام اللغة الخاصة بالذكور للتعبير عن الجنسين على الرغم من زخم اللغة العربية في ضمائر المخاطبة للإناث ثانيا. وقد أدى ذلك كله على مر العصور إلى تهميش المرأة ومصادرة حقوقها، وإحلال الرجل كممثل للعقل بينما غدت هي ممثلة للجسد. وهذا الأمر استمر من عهد الفلاسفة حتى وقتنا الحاضر مرورا بكافة من تحدثوا عن المرأة ووصفوها على الرغم من غيابها عن كتابة الثقافة والتاريخ، لدرجة اعتبر معها التذكير في اللغة هو الأصل والتأنيث فرع من هذا الأصل تماما كالأسطورة القائلة بأن حواء فرع من آدم، وهذا اعتراف دائم باستلاب مستمر لحقوق المرأة. (الحيدري،2003).

ومن هنا غدت اللغة تنقل إلى الإنسان نسقا جاهزا من القيم، وتؤدي بدورها إلى الفصل الجذري بين الجنسين وتغليب صفات الذكورة على الأنوثة. فيبدو الرجل أقدر من المرأة في الصفات المرتبطة بالعقل والقوة الجسدية. فاللغة التي نصوغ من خلالها ثقافتنا وهويتنا تحدد موقفنا من أنفسنا ومن الآخر/الأخرى. فالنساء قد همشن من كتب التاريخ لأن عملهن كان محصورا بالبيت والعائلة، ولم يكن يعرفن الكتابة آنذاك. وبالتالي لم يستطعن الكتابة عن تجاربهن. فكان الرجل في خريطة الثقافة وعالم اللغة هو منتج المعرفة فيها ومستهلكها، فهو يكتب ويقرأ ويفسر. وكانت المرأة على هامش الثقافة وخارج دائرة الفعل. فكانت موضوعا للغة ومادة في النص، ومجازا من مجازات الخطاب الأدبي. ولم تكن تكتب أو تقرأ، لذلك لم يكن لها محل في تفسير الثقافة وتأويل المعرفة، ولم يكن لها من مجال تظهر فيه بدورها كمؤلفة ومبدعة . (Matlin, 1996) وإن كتبت المرأة وأبدعت أجبرت على مخالفة نفسها والتكلم بلغة الرجل وثقافته والتفكير بتفكيره، هذا التفكير الذي احتل اللغة واستعمر الثقافة حتى صارت اللغة رجلا وصارت الثقافة ذكرا، فأصبح يحكم على نجاح المرأة، وتحكم هي على تفوقها قياسا على المنجز الإبداعي للرجل. إن المرأة في صورتها الذهنية الراسخة كائنة اندماجية وليست كائنة مستقلة، فهي وسط الآخرين وفيهم ومنهم وبهم، فهي بنت فلان وزوجة فلان وأم فلان. (الغذامي،1997).

وتعتبر النظرية النسوية لما بعد الحداثة Post-Modernism من أكثر النظريات النسوية التي اهتمت باللغة الجندرية وبتفسير الفروق في سلوكات الجنسين بناء على اللغة، واعتمادا على أفكار لاكان الذي تأثر بفرويد وأخذ منه ولكنه اختلف معه وأعطى أهمية أكبر للغة في تفسير اختلاف السلوك الأخلاقي

عند الجنسين. حيث تحتوي اللغة على سلسلة من القواعد والإشارات والرموز والأدوار المتداخلة التي يتربى عليها الأطفال وتمكنهم/هن من التكيف مع البيئة المحيطة. فالأطفال الذكور يتماثلون مع آبائهم لأنهم يشبهونهم فيزيقيا من خلال اللغة السائدة والأدوار الاجتماعية التي يكتسبونها عن آبائهم، مما يطور حسهم الأخلاقي. وهنا يتفق لاكان مع فرويد باعتبار النساء أقل حسا أخلاقيا من الرجال؛ لأن الفتيات لا يتماثلن مع آبائهن ولا تنغرس في ذواتهن اللغة الذكورية السائدة. (الكتاني،2000 .(

وقد تأثرت الكثيرات من رائدات الحركة النسوية لما بعد الحداثة بأفكار لاكان مثل هيلينس سيكسوس Helence Cixous، ولوس إريجاري Luce Irigaray ، وجوليا كرستيفا . Julia Kristeva وأدى اعتبار المرأة بأنها مجرد انعكاس للرجل لقيام نسويات ما بعد الحداثة بطرح استراتيجية للخروج من هذه الرؤية الذكورية ومواجهة النظام البطريركي تتمثل في ضرورة أن تتكلم النساء بصوت واحد وبلغة واحدة تظهر هويتهن، وأن تتفاخر النساء بما لديهن من قدرات على التعبير. (العزيزي،2005. (

واعتبر جورج هربرت ميد - George Herbert Mead الأب الذي طور نظرية التفاعلية الرمزية Symbolic - Interactionأن اللغة هي الأساس الذي يتعلم من خلاله الأطفال الأدوار الجندرية من خلال الاتصال والتواصل مع الآخرين. ففي خلال عملية التنشئة الاجتماعية ومن خلال التفاعل الاجتماعي مع الآخرين يتطور مفهوم الجندر بناء على قيم وتوقعات المجتمع. فيتعلم الأطفال كيف يرون أنفسهم/هن من خلال المحادثات والتفاعل المستمر واستخدام الرموز المناسبة للموقف. (Wood, 1994) .

الخلاصة

تتشكل التصورات الجندرية لدى الفرد منذ الصغر خلال عملية التنشئة الاجتماعية بمؤسساتها المختلفة بدءا من الأسرة مرورا بالمدرسة والرفاق ثم الإعلام ومؤسسات المجتمع المختلفة. وتترسخ هذه التصورات في الإدراك العقلي والحسي الاجتماعي في مراحل النمو المختلفة حتى تتقولب في الاتجاهات ثم في السلوك مع الجنس الاخر .

وعندما تنجح عملية التنشئة الاجتماعية بمؤسساتها المختلفة في أن تعلمنا كيف نتبنى تعريف الثقافة المحيطة بنا للنوع البيولوجي وما يرتبط به من متطلبات اجتماعية، عندئذ فإن كلا من الذكور والإناث المصنفين بناء على النوع البيولوجي سيمتلكان الأدوار والمكانات المطلوبة منهما. وهنا يتطور مفهوم الجندر المبني على مفهوم الجنس. ومن ثم يخترق الحياة العامة والخاصة لدرجة نصبح معها قادرين وقادرات على رؤية المفهوم باعتباره معطى عادي وطبيعي.

وتعتبر اللغة الأداة التي يتم من خلالها التواصل والاتصال مع الآخرين في مواقف التفاعل الاجتماعي. وتعبر الرموز المستخدمة في لغة التواصل عن المفاتيح التي تكشف ثقافة المجتمع، وتعريفه لمفاهيم الذكورة والأنوثة، وما يرتبط بهذه المفاهيم من الأدوار والمكانات الجندرية. وقد كانت اللغة وما زالت لغة ذكورية سواء في فحواها أم في تركيبها أم حتى في رموزها. وهذا ما يبقي إعادة إنتاج مفهوم الجندر مستمرة. ومهما كان هناك من تغيير على المستوى المؤسسي في أنظمة المجتمع خصوصا النظام التعليمي، ومهما حدث من تعديل في التشريعات والقوانين ذات العلاقة؛ فإذا اللغة المستخدمة ستبقى لغة ذكورية تعبر عن الثقافة والإنجازات الذكورية فقط وحينها لن نحقق التغيير المنشود.

الفصل الرابع 4

الاتجاهات النظرية لتطور مفهوم الجندر وأبعاده

- مقدمة
- النظريات البيولوجية
- النظريات النفسية
- النظريات الاجتماعية
- النظريات النسوية

مقدمة

توجد العديد من النظريات التي عالجت التفاوت في دور ومكانة المرأة والرجل في المجتمعات والثقافات المختلفة. هذا التفاوت المبني على أساس الفروق البيولوجية بين الجنسين التي تؤدي بدورها إلى الفروق الجندرية، والمبني على كيفية اكتساب الجنسين للأدوار المنمطة والمختلفة حسب الجنس في مراحل النمو المختلفة.

وعلى الرغم من غزارة الفكر الاجتماعي والثقافي والنسوي في هذا الإطار، ومن غزارة الاتجاهات النظرية التي حاولت تفسير هذه الفروق، وبيان كيفية تشكلها عبر التاريخ البشري إلا أن النظريات تفاوتت في إعطاء الأولوية للفروق البيولوجية كسبب لوجود الفروق الجندرية . وقد تراوحت بين النظريات العلمية البيولوجية، والمقاربات السيكولوجية، والرؤى الاجتماعية الثقافية، والفكر النسوي.

وتلتقي جميع هذه الاتجاهات النظرية حول افتراض واحد مشترك وهو وجود عدم مساواة في دور ومكانة كل من النساء والرجال. ويتفاوت عدم المساواة من ثقافة إلى أخرى ويختلف من زمن إلى آخر. ولمعرفة تطور مفهوم الجندر، والأسباب المؤدية للفروق الجندرية لا بد من الوقوف أمام الأطر النظرية

والاتجاهات التي حاولت تفسير الاختلافات الجندرية وأوجه عدم المساواة بين الجنسين. ومن هنا سنقوم في هذا الفصل باستعراض أهم النظريات التي عنيت بتفسير ومعالجة تطور مفهوم الجندر، والفروق الجندرية بين الجنسين من عدة زوايا: بيولوجيا، نفسيا، اجتماعيا، ونسويا.

أولا – النظريات البيولوجية

تعود لهذه النظريات البيولوجية Biological Theories المحاولة الأولى في تفسير الفروق العامة بين الرجال والنساء بناء على البيولوجيا، وتفسير تطور مفهوم الجندر بناء على الفروق البيولوجية بين الجنسين. وتقوم هذه النظريات على بداية التقاء الكروموسوم X مع الكروموسوم Y لتكوين الجنين، وعلى نشاط الهرمونات ذات التأثير الكبير على تطور الفرد سواء التطور الجسدي أم العقلي أم النفسي .

وترى النظريات البيولوجية أن الهرمونات هي المسؤولة عن تحديد الجنس، وأنها تؤثر أيضا على تطور الدماغ تماما كتأثيرها على تطور الجسم. فهرمون الاستروجين Estrogen وهو الهرمون الأساسي للمرأة يؤدي إلى إنتاج كولسترول جيد في جسم المرأة، ويجعل الأوعية الدموية blood vessels أكثر مرونة من تلك الموجودة في جسم الرجل ، ويقوي هذا الهرمون أيضا المناعة عند المرأة مما يجعل مقاومتها للأمراض أكبر. ومن فوائد هذا الهرمون أيضا أنه يمنح المرأة رواسب دهنية حول الصدر والجوانب hips لحماية الجنين خلال فترة الحمل. أما الهرمون الأساسي للرجل فهو هرمون التستسترون testosterone. وقد أظهرت الدراسات العديدة في هذا الإطار أن الرجل الذي يملك نسبة عالية من هذا الهرمون يمتلك شخصية قوية، ويحب السيطرة، والسلوك العدواني أحيانا. على الرغم من عدم وجود دليل علمي قاطع يثبت ذلك. وإن وجود هذا الهرمون بنسبة عالية يرتبط بالحصول على السلطة والسيطرة على الآخرين وبتعابير الغضب. وإن تذبذب وجود هذا الهرمون في جسم الرجل يؤثر على وظائف القدرات المعرفية لديهم، فتصبح قدرة الرجل الفراغية spatial ability في أخفض مستوياتها في حالة دورة الهرمونات وتذبذبها. هذا ويوجد هرمون آخر لدى الذكور هو هرمون الاندروجين androgen الذي غالبا ما يرتبط بالعدوانية والرغبة في

القتل أحيانا كما أثبتت الدراسات التي أجريت على الحيوانات. أما الدراسات التي ترتبط بتأثير الهرمونات على سلوك الإنسان/ة فما زالت بحاجة إلى المزيد من الأدلة والدعم. (Wood, 1994) .

ومن الجوانب الأخرى التي تركز عليها هذه النظريات البيولوجية لتفسير الفروق بين الجنسين جانب "بناء الدماغ Brain Structure "وتطوره الذي يظهر دائما بارتباطه بالنوع البيولوجي، فإن كل من الرجل والمرأة يستخدم أجزاء من الدماغ أكثر من الأجزاء الأخرى. فالرجال يستخدمون الجانب الأيسر من الدماغ بشكل أكبر. وهذا الجانب يختص بالتفكير المنطقي التحليلي المجرد . (Govier,1998) أما النساء فيستخدمن الجانب الأيمن بشكل أكبر لذلك تظهر النساء الموهبة والخيال والنشاطات الفنية بشكل أكبر من الرجال. ويمتلكن الحدس أيضا. ولكن ما يميز المرأة أنها تستطيع التنقل بين جانبي الدماغ أي أنها تستعمل الجانبين أما الرجل فلا يملك هذه القدرة. فدماغ المرأة أصغر حجما من دماغ الرجل، والقدرة على التفكير مرتبطة جزئيا بحجم الدماغ، ولكن ذلك لا يعني أن الرجال أكثر ذكاء من النساء كما يستند على ذلك بعض الباحثين في هذا المجال . (Wood,1994) فقد أثبتت الدراسات النفسية أن كلا من النساء والرجال متساو في اجتياز اختبارات الذكاء المتقدمة. فما ينطبق على الحيوان لا ينطبق على الإنسان. وقد فسر العلماء الذين قاموا بهذه الدراسات بأن نسبة (المادة الرمادية) التي تسمح للدماغ بالتفكير هي واحدة عند الجنسين، وحتى يكون هناك توازن بين حجم الدماغ وطريقة التفكير يوجد لدى دماغ المرأة 55% تقريبا من هذه المادة الرمادية، مقابل 50% تقريبا في دماغ الرجل، مما يعطي للدماغين صفة التساوي في الوظيفة أو القدرة على التفكير على الرغم من اختلاف الحجم. كما يحتوي الدماغ على (المادة البيضاء)

المسؤولة عن انتقال المعلومات بين المناطق البعيدة في الدماغ. وكمية هذه المادة عند الرجل أكثر منها عند النساء بشكل واضح، كما أثبتت هذه الدراسات. وهذا ما يفسر الفروق بين الجنسين في القدرة على البعد الفراغي spatial visualization، مقابل أن المرأة تتفوق على الرجل في القدرة اللفظية verbal ability والقدرة على الاستماع. فالمرأة تستخدم الجانبين الأيسر والأيمن معا عند الاستماع، بينما يستخدم الرجل الجانب الأيسر فقط من دماغه عند الاستماع. (Govier,1998) .

وإن جميع هذه الدراسات التي ركزت على الفروق البيولوجية بين الجنسين ليست مدعمة بالدليل العلمي القاطع، ولكن ما يفيدنا من هذه الدراسات أن الفروق العضوية والهرمونية والبيولوجية بين الجنسين تولد استعدادات مختلفة. قد تنمو أو تكبت بناء على الخبرة المكتسبة من البيئة المحيطة ومن خلال الممارسة. فهناك تفاعل مستمر بين البيولجيا والعوامل الاجتماعية ولا نستطيع أن نقلل من أهمية أي منهما ، ومدى توافر الظروف يساهم في تطوير هذه الاستعدادات لدى الجنسين. فعلى سبيل المثال عضلات الإنسان/ة تقوى بدوام ممارسة الألعاب الرياضية، وتضمر وتخف قوتها بالمقابل اذا لم يتم استخدامها. المهم هنا أن لا نعتمد على خصائص ثابتة لجنس معين، وإنما يجب أن نتعامل مع الفروق الفردية أيضا المرتبطة بالظروف المحيطة. فالعوامل البيولوجية تؤثر على كل ما يرتبط بمفهوم الجندر ولكن لا يمكن اعتبارها العامل المحدد والوحيد لمفهوم الجندر. بمعنى آخر لا يمكن أن نقبل أن تكون العوامل البيولوجية الأساس الذي نبرر به الفروق الجندرية بين الجنسين في أي مجتمع.

ثانيا- النظريات النفسية

نظرية التحليل النفسي

أثرت نظرية التحليل النفسي Psycho-analysis Theory لفرويد على كافة النظريات النفسية Psychological Theories. وهي تفيدنا في معرفة الاتجاهات نحو المرأة أكثر من تفسيرها لتطور الأدوار الجندرية. ففرويد يرى أن الإنسان/ة يولدان بالغرائز instincts التي تمدهما بالطاقة، وتدفعهما للسلوك والتطور النمائي. وهذه الغرائز:-

1. غريزة البناء: Constructive Instinct وسماها فرويد libido أو العشق. Eros

2. غريزة الهدم : Destructive Instinct أو الموت وسماها. Thamatos

وإن هاتين الغريزتين جزء مكمل لوجود الانسان ذكرا كان أم أنثى، ويرى فرويد أنه لا يوجد انسجام ما بين الفرد والنظام الاجتماعي، فالغرائز ليست اجتماعية وإنما ضد ما هو مقبول اجتماعيا. وهناك روابط عاطفية تنشأ بين الطفل/ة والوالدين. تجعل الطفل/ة يتماها مع أحدهما. الذكر مع أبيه والأنثى مع أمها. فيتقمص الطفل/ة معايير وأدوار الوالدين اللذين يعكسان بدورهما المعايير العامة السائدة في المجتمع، فتبدأ الأنا الأعلى superego بالتطور وتتطور معها الاتجاهات والقيم والأخلاق عند الطفل/ة. وهذه عملية مركزية في عملية التنشئة الاجتماعية حيث يعكس الأطفال من خلالها قيم المجتمع وأخلاقياته. (عقل،1988).

وإن أفكار فرويد وتفسيراته حول طبيعة وأدوار الجنسين وبالذات حول المرأة كانت أضعف جزء في نظريته، وقد أثرت نظريته على تشكيل الاتجاهات نحو

المرأة، أكثر من كونها قدمت تفسيرا حول تطور الأدوار الجندرية. (Matlin, 1996) .

وقد ركز فرويد على الجنس كأساس لتفسير السلوك الإنساني. وحدد خمس مراحل في التطور الجنسي للفرد:-

1. المرحلة الشفويةOral Stage

ويركز الأطفال في هذه المرحلة على منطقة الفم للإشباع عن طريق المص. sucking

2.المرحلة الشرجيةAnal Stage

وتتركز هذه المرحلة في الشرج وقيم الإشباع عن طريق الإخراج. ويشير فرويد هنا إلى أن كلا من الذكر والأنثى يتطور بشكل متشابه، ويرتبط بوالدته/ها في هذه المرحلة المبكرة والتي تمتد منذ لحظة الولادة حتى السنة الثانية من العمر.

3.المرحلة القضيبيةPhallic Stage

وتبدأ الهوية الجنسية بالتشكل في هذه المرحلة، من سن الثالثة حتى سن السادسة، وتكون متمركزة في الأعضاء الجنسية بشكل رئيسي من حيث الدلالة والإشباع. ويكتشف الذكور في هذه المرحلة من حبهم لأمهاتهم، ويعانون من عقدة الخصي castration complex ، فيخافون على العضو التناسلي من أن يبتر .mutilated حيث يحس الذكور بالخطر من جراء ما يفرضه عليهم الأب من الضغط الانضباطي ويتخوفون في خيالهم من أن يقوم الأب باقتطاع القضيب. ويشعر الطفل بصورة واعية جزئيا، وبصورة غير واعية في أكثر الأحيان بأن والده ينافسه في حب أمه (عقدة أوديب). وعندها يكبت الولد عاطفته ومشاعره

الجنسية تجاه أمه ويقر بتفوق والده عليه في هذه الناحية. ولذا فهو يتماهى مع أبيه ويتقمص هويته الذكورية للاستحواذ على الأم. ثم يتخلى الابن لاشعوريا عن حبه لأمه خشية تعرضه للحرمان من قضيبه.

وأما البنات فإنهن من جهة أخرى يعانين الغيرة نظرا لافتقارهن إلى ذلك العضو المنظور الذي يميز الأولاد عنهن. وتتشكل لديهن عقدة الحسد القضيبي penis envy ولذا تتدنى قيمة الأم في نظر البنت لأنها مثلها في هذه الحالة، ولأنها عجزت عن أن تزودها بهذا الامتياز (القضيب)، وعندها تتماهى البنت مع أمها وتتخذ الموقف الاستسلامي الخضوعي.

وقد ذكر فرويد أن الفتيات يصبن بخيبة أمل في هذه المرحلة من أمهاتهن لأنهن لم يمنحهن القضيب كالذكر، ويتحول ارتباطهن بآبائهن على أمل أن يمنحوهن القضيب، فيؤدي ذلك أن تبدأ الفتيات بالاهتمام بالدمى والرغبة في إنجاب الأطفال عندما يلاحظن الفرق في الأعضاء التناسلية بينهن وبين الذكور. وتكون الدمى في البداية تعبيرا غير مباشر عن ارتباط الفتاة بأمها، فالفتاة الصغيرة تتخيل أنها هي أمها، واللعبة هي الفتاة نفسها. ولكن في مرحلة لاحقة وعند تولد الشعور بالغيرة من الذكر تتحول هذه الدمى من كونها تعبير عن الأم إلى تعبير عن الأب، أي أنها تتحول من لعبة أنثى إلى لعبة ذكر. فالأنوثة تكون ممتعة أكثر إذا كان الطفل ذكرا، لأن ذلك يزيد من الإحساس في النقص المتولد لدى الفتاة بأنها ليست ذكرا. لذلك يرى فرويد بأن أقوى العلاقات البشرية هي العلاقة بين الأم وابنها.

ونوه فرويد إلى أن هذه الغيرة وخيبة الأمل تؤدي بالفتيات أن يشعرن بعدئذ بالدونية والتبعيةinferior ، ويؤثر ذلك على تطورهن وتشكيل شخصياتهن بشكل سلبي مما يولد الخجل وعدم الإحساس بالكفاءة. كما ويتولد لديهن حب الذات والغرور والتباهي بمفاتنهن وجمالهن. وبسبب هذا الاحساس

المتولد لديهن أيضا فإنهن تفتقدن للرشد أو الذكاء، ولذا فإنهن يفشلن في الوصول إلى ما يسمى بالأنا الأعلى Super Ego، وهي مركز القيم والأخلاق والمثل العليا التي يعتبرها فرويد ميزات للرجل المتحضر. ويحدد نمط التنشئة الاجتماعية السائد في هذه المرحلة التكامل أو الشذوذ في سلوك الفرد ذكرا كان أم أنثى.

4. مرحلة الكمونLatency Stage

وتبدأ هذه المرحلة من سن السادسة حتى مرحلة البلوغ puberty ، وتسمى بمرحلة الانتشار. ولا يظهر الفرد هنا أي اهتمام بالجنس، كأن الطاقة الجنسية قد تسامت من خلال عملية التنشئة الاجتماعية. لأن النظر إلى العضو الجنسي في هذه المرحلة يختلف عن مرحلة الطفولة. ففي هذه المرحلة (البلوغ والمراهقة) تصبح المثيرات الجنسية كثيرة ولا تقتصر على الممارسة الفعلية للجنس.

5. مرحلة النضج الجنسيGenitals Stage

هي مرحلة تالية لمرحلة المراهقة، ويبدأ فيها كل من الجنسين بالاهتمام بالاتصال الجنسي، وتتحدد هذه المرحلة بعد القذف الأول للذكور الذي يشير إلى الدخول في سن المراهقة، والحيض بالنسبة إلى الإناث. فيصبح كل منهما قادرا على التزاوج لأنهما ناضجين جنسيا. أما اجتماعيا فيصبحان قادرين على التفاعل الاجتماعي مع الآخرين. (Matlin,1996؛ عقل،1988).

إن تطور الأنا الأعلى superego عند الإنسان/ة بحسب فرويد جاء نتيجة لتقمص الطفل/ة لدور الوالد والوالدة، فالبنت تتقمص دور أمها، والولد يتقمص دور أبيه كمحاولة من الطفل/ة لحل العقد التي تنشأ أثناء مراحل النمو التي ذكرها فرويد، وهي "عقدة أوديب" عند الذكور التي تتولد لديهم نتيجة شعورهم

بالغيرة من الوالد الذي يستحوذ على الأم، فيحاولان تقمص شخصية الأب للاستحواذ على الأم. و"عقدة إلكترا" عند الإناث، حيث تغار البنت من الأم بسبب استحواذها على أبيها، فتحاول أن تتقمص شخصية والدتها لتستحوذ بدورها على الأب. ويتم تعزيز وتدعيم أنماط السلوك المقبولة اجتماعيا والمناسبة للجنس، ورفض أنماط السلوك غير المقبولة اجتماعيا وغير المناسبة للجنس من خلال عملية التنشئة الاجتماعية (ناصر،2004). فبالنسبة إلى فرويد إن كلا الجنسين يتطوران بشكل مشابه، وكلاهما ينجذبان لأمهاتهما في المراحل العمرية الأولى. وتبدأ الهوية الجنسية بالتشكل لكليهما في المرحلة الثالثة من النمو: المرحلة القضيبية Phallic Stage وينجذب الأولاد لأمهاتهن بسبب عقدة الخصي Castration Complex وخوفهم على أعضائهم من أن تبتر mutilated ، وتعاني الإناث لأنهن يلحظن الفرق في الأعضاء التناسلية بينهن وبين الذكور فيشعرن بالدونية inferior ثم تتطور لديهن عقدة الحسد القضيبي Penis Envy.

ولقد تعرض فرويد لانتقادات عديدة من قبل المنشقين عنه، والمنظرون المحدثون اعتبروا أن الإناث يصبن بخيبة أمل بسبب المعاملة التفضيلية من قبل الأمهات للأولاد مما يمنحهم قوة زائدة عنهن، وليس بسبب عدم تزويدهن بالقضيب. فالظروف المحيطة بالمرأة تجعلها تفتقد العضو ليس لأجل العضو نفسه وإنما من أجل الامتيازات التي تمنح لمن يملك القضيب، مما يولد لديها فكرة تفوق الذكور، فتجد المرأة نفسها في الأمومة التي تعيد لها التوازن والاستقلال .

وإن آراء فرويد عن المرأة لم تدعم بنتائج بحثية وحتى فرويد نفسه اعتبر أن الجزء المتعلق بالمرأة هو أضعف جزء في نظريته. أما النظريات التي جاءت بعد فرويد فافترضت أن الإناث يشعرن بخيبة الأمل من أمهاتهن

ليس بسبب الحسد القضيبي أو لأنهن لم يمنحن القضيب وإنما بسبب المعاملة المختلفة التي يتلقاها الذكور والتي تفضلهم عند أمهاتهم عن الإناث.
(Matlin, 1996؛ دي بوفوار،1997).

لقد جذبت نظرية فرويد للتحليل النفسي النسويات، لأنه يعتبر مفاهيم الذكورة والأنوثة تصنيفين وبنيتين اجتماعيتين، وبذا فهي تمثل رفضا للحتمية البيولوجية. فالجنسان يولدان مختلفين من الناحية البيولوجية، ولكن الهوية المذكرة والمؤنثة تتشكل أثناء مراحل النمو المختلفة حسب البيئة الثقافية (جامبل،2002). فترى كارول جليجان Carol Gilligan أن فشل المرأة في التكيف مع معايير الذكورة الأخلاقية التي تعتبر المعيار للتطور الأخلاقي عند البشر لا يعود لعيب في المرأة نفسها، وإنما بسبب عدم ملاءمة هذه المعايير لها لأنها من وجهة نظر الرجال أنفسهم. لذلك انصب اهتمام جليجان على أسلوب الحياة وتأثيره على السلوك الأخلاقي عند الجنسين. وبمعرفة الفروق النفسية بين الرجال والنساء فيما يتعلق باتخاذ القرارات الأخلاقية، فتعتقد أن التطور الأخلاقي عند المرأة يبعدها عن الأنانية وحب الذات، ويوجهها نحو الإفراط في الإيثار والتضحية؛ لتصبح نموذجا للأم المنشئة التي تكبت رغباتها وحاجاتها وتكرس نفسها لخدمة الآخرين. أما النسوية نانسي تشودورو Nancy Chodorow فترى أن سبب إفراط المرأة بأمومتها هو ناجم عن حاجتها للعلاقات العاطفية التي لا تجدها عند زوجها، فتندفع بهذه المشاعر نحو ابنها كأب بديل سيحميها عندما يكبر، ونحو ابنتها كبديل لها تخلق منها أما وابنة مرة أخرى. وتتوقع المرأة من الجنسين مبادلتها الاهتمام والحب الذي منحتهما إياه في الصغر. ويؤدي تعلق الأم بالأبناء والزوج إلى تبعيتها لهم. لذلك اقترحت تشودورو حلا سمته " الوالدية المزدوجة Dual Parenting "، وهو نظام جندري عادل تعني به تكيف بنيوي يسمح للرجال بتطوير جوانب في نفوسهم لم تتطور

بشكل كاف خلال مراحل تنشئتهم، وتمكن من إيجاد جيل جديد من الجنسين متساو في القدرات والسلوكات، يستطيع القيام بالأفعال المناسبة للجنسين. أما دينرستين Dorthy Dinnerstein فترى أن سبب تشويه نظام الجندر يعود إلى تفرد النساء وحدهن في تغذية الأطفال وتربيتهم/هن ورعايتهم/هن. والحل من وجهة نظرها هو اشتراك الوالدين في المسؤوليات الملقاة على عاتق الأم وحدها، وبالتالي يتوزع الغضب المترسخ في أعماق النفس بالتساوي على الجنسين، ولا يلام أي جنس على الوضع الإنساني العام. (العزيزي،2005).

وتنظر هذه النظرية إلى أن مفهوم الجندر ينتج من خلال العمليات النفسية واللاوعي، ومن أكثر الآراء التي نادت بهذه النظرية ونالت تأثيرا بين علماء اجتماع الجندر هي تشودورو Nancy Chodorow في كتابها "The Reproduction of Mothering" عام 1978، وتتركز نظريتها حول كيفية تطوير كل من الذكور والإناث نظرة خاصة تتعلق بكونهما سيصبحان رجلا وامرأة. فالهوية الجندرية تتشكل خلال مرحلة الطفولة عندما يطور الأطفال انجذابا عاطفيا للجنس ذاته من الأبوين أو ممن يحيطون بهم/هن. فرعاية الأم للأطفال واعتمادهم/هن عليها لتلبية جميع الاحتياجات يخلق علاقة عاطفية خاصة مع الأم تكون في اللاوعي لدى الأطفال. وانفصال الطفل/ة عن الأم يعتبر مرحلة حرجة في تطور الطفل/ة في مرحلة تشكل حدود الذات Ego-boundaries ، فيميز الأطفال أنفسهم/هن كذكور أو إناث، ويكتشفون بعد ذلك ماذا يعني لهم/هن جنسهم/هن ثم تتشكل هوياتهم/هن الجندرية . فالإناث في نظر تشودورو يبحثن عن التواصل والاستمرار في علاقاتهن مع أمهاتهن، أما الذكور فيبحثون عن الانفصال عن آبائهم، ولكن أخذ هذا الأمر عليها فيما بعد لأنها بذلك تثبت الصورة النمطية التقليدية عن الجنسين

. (Wharton,2005) لقد بنت تشودورو وجولييت ميتشل أفكارهما على أفكار كل من فرويد ولاكان، و ليفي شتراوس، فاعتبرتا أن الجندر يعبر عن الاختلاف الذي يبرز من خلال العلاقات في الأسرة خصوصا في الأمومة. فقد رأتا أن مفهوم الجندر متضمن في اللاوعي، ويظهر في الجنسانية واللغة والتابو. ومن هنا ركزتا على الجنسانية sexuality كقوة ثقافية وأيدولوجية تضطهد المرأة. (Lorber, 1994) .

نظريات العلاقات الشخصية

من أهم نظريات العلاقات الشخصية Interpersonal Theories نظرية الدينامية النفسية التكيفية Psychodynamic views of Gender Development.وذلك لأنها تفسر تطور مفهوم الجندر لدى الجنسين. فتهتم هذه النظرية بوصف العلاقة بين العمليات العقلية والانفعالية والعاطفية ومدى تأثيرها على السلوك، من خلال علاقة الفرد (ذكر أو أنثى) بالمحيطين/ات بهما. وقد ركزت وجهات النظر المختصة بالشخصية والسلوك في تطور مفهوم الجندر على العلاقات الشخصية ضمن العائلة باعتبارها تؤثر على تطور الهوية الجندرية للجنسين. ورائد هذه النظرية هو سيجموند فرويد Sigmund Freud ولكن هذه النظرية تم تطويرها فيما بعد كما تمت الإضافة إليها من قبل المهتمين/ات في هذا المجال خصوصا في الجانب المبهم من نظريته فيما يتعلق بتطور المرأة. وتعتبر نظرية العلاقة الموضوعية Object relation theory من أهم وجهات النظر المرتبطة بنظريات الشخصية والسلوك لتفسير تطور مفهوم الجندر. حيث تؤكد هذه النظرية أن العلاقات الاجتماعية هي المحور لتطور شخصية الإنسان/ة خصوصا في إطار تطور الهوية الجندرية، وأهم هذه العلاقات المبكرة للطفل/ة التي تحدث في المراحل العمرية الأولى والتي تعتبر الأساس في تشكيل

وعيهما بالهوية، هي علاقتهما مع أمهما التي تقوم بتربيتهما ورعايتهما. وتؤثر هذه العلاقة على تعريف الطفل/ة بنفسهما وفهم كيفية التفاعل مع الآخرين المحيطين/ات. فيبدأ الأطفال بتطوير الوعي بالذات وتطوير الهوية الجندرية عندما يبدأون باعتناق قيم ومبادىء الآخرين المحيطين بحيث تصبح هذه القيم والمبادىء جزءا لا يتجزأ من شخصية الطفل/ة. فعلى سبيل المثال الأطفال الذين تقوم برعايتهم/هن الأم بحب وحنان يميلون إلى دمج وتجسيد وجهات نظر الأم إلى وعيهم/هن لذواتهم/هن، ويعتبرون أن لهم/هن قيمة. فعندما تتصف الأم بصفات الرعاية والحنان والحب واحترام رغبات الآخرين وتعبر عن عواطفها، وتكون هذه الصفات جزء لا يتجزأ من شخصية الأم، يبدأ الأطفال بتطوير واستدخال internalize هذه الصفات والقدرات بحيث تصبح جزءا من شخصيتهم/هن، وهذا الاستدخال لا يقتصر على كونه اكتسابا للأدوار وإنما يمتد ليصبح البناء الأساسي للنفس .(Wood,1994) .

وقد فسرت هذه النظريات تطور هويات الذكورة والأنوثة كنتيجة للعلاقات المختلفة بين الأم والأطفال. واعتبرت نانسي تشودورو N.chodorow أن المفتاح لفهم نظرية الشخصية والسلوك وتطور مفهوم الجندر في إطار العائلة يعتمد بشكل أساسي على تمييز أمر هام وهو أننا جميعا قامت بتربيتنا امرأة. فالنساء يحملن على عاتقهن مسؤوليات التربية في المراحل الأولى بشكل يفوق الرجال. وإذا كانت المرأة قد تربت أصلا بطريقة متحيزة جندريا فإنها ستبدأ بتشكيل علاقات مميزة مع أبنائها الذكور بطريقة مختلفة عن علاقتها مع بناتها، وبناء على ذلك ينمو كل من الذكور والإناث بطريقة مختلفة تعتمد على علاقاتهم/هن الخاصة التي عاشوها مع أمهاتهم/هن .(Wood,1994)وتنشأ بين الأم والبنت علاقة حب خاصة ينتج عنها توحد شخصية البنت مع الأم. فالأم تتفاعل مع ابنتها بشكل أكبر وتبقيها بجانبها نفسيا وجسديا أكثر من أبنائها

الذكور، وتتكلم الأم مع البنت عن الحياة الشخصية والعلاقات الحميمة أكثر من كلامها مع الذكر. وتؤدي هذه العلاقة الحميمة بين البنت والأم إلى أن تقتبس البنت شخصية الأم وتتمثلها تماما، بحيث تصبح الأم جزءا من ذاتها. وتتم عملية الاستدخال internalization في مراحل عمرية مبكرة للبنت ويكون الجهد الأولي الذي تبذله البنت للتعريف بهويتها متأثرا بعلاقتها بأمها. أما علاقة الأم بابنها الذكر فتكون مختلفة عن علاقتها بابنتها والسبب من وجهة نظر منظري/ات الشخصية والسلوك أنهما لا يتشاركان بنفس النوع البيولوجي فبالتالي تصبح عملية التوحد بينهما مستحيلة. ويبدأ الذكور مبكرا إدراك أنهم مختلفون عن أمهاتهم، وتميز الأم هذا الاختلاف الأمر الذي ينعكس على تفاعلها المختلف مع الذكور والإناث، فتشجع الذكور على الاستقلال في سن مبكرة أكثر مما تشجع الإناث. ولا تتعامل مع الذكور بحميمية كما تفعل مع الإناث، ولا تتكلم في الأمور الشخصية مع أبنائها بل تفضل مناقشة الأمور العامة غير الشخصية معهم، وعلى عكس البنات يطور الذكور هوياتهم الجندرية لا من خلال العلاقات الحميمة مع الأم كما هو الحال عند البنات وإنما من خلال تمييز الذكر لنفسه باختلافه عن أمه وتعريف ذاته بشكل مخالف عنها لدرجة نجد معها بعض الذكور قد يلغون أو ينكرون وجود الأم في حياتهم من أجل أن يعرفوا ذواتهم بطريقة مستقلة. وتعتمد هذه المرحلة في تطور الهوية الجندرية على مرحلة البلوغ في أغلب الثقافات، فلدخول عالم الرجال يتطلب من الذكور إنكار ورفض شرعية سلطة الأم repudiate وعالم الأنوثة بشكل عام. فالاستقلال يعتبر الجوهر الأساسي في وعي الذكور بذواتهم سواء تحقق ذلك من خلال رفض الأم أو من خلال الاختلاف عنها، وبالتالي تتشكل الهوية الجندرية .(Wood,1994) .

وإن الهوية لا تكون استاتيكية وثابتة بشكل كامل في مراحل العمر الأولى. فالذات الأولى تبنى من خلال العلاقات الأولية، وتستمر في التطور والتغير في مراحل الحياة المختلفة طالما وجد تفاعل مع الآخرين. فمنظري ومنظرات العلاقة الموضوعية object-relation theory يعتبرون/رن أن الهوية التي يتم بناؤها في مرحلة الطفولة هامة وأساسية لأنها القاعدة التي يتم تطور الوعي بالذات من خلالها ولأنها تحدد كيفية التفاعل مع الآخرين من خلال القيم التي تم استدخالها. ويتحقق تعريف الذات من خلال العلاقات الحميمة فالإنسان/ة اللذين لديهما اتجاهات أنثوية يعتبران العلاقات الحميمة مصدرا للشعور بالأمان والراحة ويعرف هؤلاء ذواتهم/هن من خلال علاقاتهم/هن مع الآخرين. والعكس صحيح. فالإنسان/ة اللذين لديهما توجهات ذكورية قد يشعران بأن العلاقات قد تخنق الاستقلال الضروري لتحقيق الذات والأمان كمفهوم مرتبط بالذكورة .(Wood,1994) .

نظرية التعلم الاجتماعي

تعتبر نظرية التعلم الاجتماعي Social Learning Theory أن العالم المحيط بالأطفال عند الولادة مليء بالغموض. ومن هنا فهم/هن لا يعرفون/فن معنى الأشياء المحيطة بهم/هن. ولكن خلال السنة الأولى والثانية من العمر يبدأ الأطفال الربط بين المعنى والكلام، وبين المعنى وأشياء العالم المادي من حولهم/هن، وبين المعنى والعلاقات ما بين الناس والأشياء المادية. ويتم هذا التعلم من خلال عملية العنونة :labeling وهي إعطاء علامة للأشياء. ويمارس الأطفال هذه العلامات حسب آثارها الإيجابية والسلبية. فإذا ارتبط السلوك الممارس بمكافأة أظهر الأطفال ميلا إيجابيا . positive tendency ويتطور هذا الميل ليصبح اتجاها إيجابيا فيما بعد نحو الموضوع الذي كوفئ الأطفال عليه.

وكذلك الأمر بالنسبة للسلوك السلبي. ولكن تعلم الاتجاهات والقيم والمعتقدات والمعايير السائدة في الثقافة من خلال مؤسسات التنشئة الاجتماعية المختلفة لا يتم فقط من خلال الثواب والعقاب وفقا لهذه النظرية، وإنما من خلال الكلمات والإشارات أيضا بناء على ما جاء به بافلوف وسكنر. (عقل،1988). حيث تهتم هذه النظرية بالطريقة التي يقولب بها الأطفال سلوكاتهم/هن من خلال ما يرونه من المحيطين/ات بهم/هن، مثل السلوك العدواني aggression behavior، التعاون cooperation ، الأنانيةselfishness ، والمشاركةsharing ، فيتعلم الأطفال العادات الصحيحة والمناسبة لكل موقف اجتماعي ابتداء من تعلم استخدام الحمام حتى تعلم طقوس الفرح. ويتم تعلم الأدوار الجندرية بشكل مباشر من خلال المكافأةreward ، والتأنيبreprimand ، أو بطريقة غير مباشرة من خلال الملاحظةobservation ، أو المضايقة .irritation كما يبدأ الأطفال بالتقليدimitation ، ثم بالنمذجة .modelingفي البداية يكون الأمر بشكل عفوي، ثم تتطور أنماط معينة من السلوك لدى الأطفال من خلال عملية التعزيز .reinforcement فالتعزيز المختلف حسب الجنس هو الذي يوجد الهوية الجندرية، فمن خلال تجربة السلوك للجنسين، يبدأ كل منهما بمعرفة السلوك المناسب حسب الجنس. وتقوم بهذه المهمة مؤسسات التنشئة الاجتماعية المختلفة ابتداء من الأسرة مرورا بالمدرسة والأصدقاء وانتهاء بمؤسسات المجتمع كافة. وفي البداية يتم بناء الهوية الجندرية في مرحلة التنشئة الاجتماعية الأولية primary socialization ، فالمعرفة وتعلم الأدوار الجندرية إما أن تكون في مرحلة سابقة precede وتمهد للهوية الجندرية أو أن يتم اكتسابها في الوقت نفسه مع اكتساب الهوية الجندرية gender identity .(Lindsey,1994) .

وتعتبر نظرية التعلم الاجتماعي مخالفة لنظرية التحليل النفسي. فهي لا تهتم بالتأثيرات البيولوجية أو بأية عملية داخلية، وإنما تهتم بالتنشئة الاجتماعية الجندرية من خلال تأثيرات البيئة المحيطة. كما أنها لا تعتمد على النوع البيولوجي والفروق البيولوجية بين الجنسين كأساس لتشكيل الهوية الجندرية، وإنما تعنى بالسلوك الاجتماعي عند الفرد ذكر أم أنثى، ذلك السلوك الذي تم تعلمه أثناء عملية التنشئة الاجتماعية للقيام بأدوار اجتماعية معينة.

ويعتبر كل من ميلر ودولارد Miller & Dollard من أقطاب هذه النظرية. وقد حددا أربعة شروط للتعلم الاجتماعي وهي:- الدوافع والمثيرات- الإشارات أو الموجهات- الاستجابات- والمكافآت. ورأيا بأن لجوء الطفل/ة إلى تقليد سلوك معين لدى الآباء والأمهات يهدف إلى الحصول على مكافأة ما،أي أن أساس السلوك الاجتماعي في هذه النظرية هو التقليد أو المحاكاة. (الرشدان،1999) .

ومن رواد هذه النظرية أيضا العالمBandura ، الذي يرى أن تغيرات السلوك الإنساني تحدث من خلال التعلم بالملاحظة observational learning للآخرين، وذلك عن طريق التفاعل بين الطفل/ة والبيئة المادية الاجتماعية المحيطة، ويأخذ هذا النوع من التعلم بالملاحظة شكلين-:

1. التقليد أو المحاكاةimitation 2.
2. التمثيل النموذجي modeling

وإذا تم تدعيم السلوك الذي يتم تقليده إيجابيا positive reinforcement يحاول الأطفال إتقان هذا السلوك ليصبح جزءا من مخزون السلوك لديهم/هن، وكذلك الأمر بالنسبة للتمثيل النموذجي، فإذا وجد شخص مثير/ة لأي من الجنسين من الأطفال وقد لاقى استحسانا لسلوك ما، فإن الأطفال سيلجئون إلى

محاكاة هذا السلوك وتقمصه ليصبح جزءا من الشخصية، وتعتمد هذه العملية على القدرة على الملاحظة، والتذكر، وتكرار السلوك بعد رؤيته. (سليمان،2005).

وتطرح هذه النظرية ميكانيزمان رئيسيان تفسر من خلالهما كيف تتصرف الإناث بطريقة أنثوية وكيف يتصرف الذكور بطريقة ذكورية وهما:-

1.أن الأطفال بشكل عام يكافؤون على التصرف والسلوك الملائم لجنسهم/هن، ويعاقبون على السلوك غير المناسب.

2. أن الأطفال يراقبون ويقلدون سلوكات من حولهم/هن خصوصا الأكبر سنا من الجنس نفسه.

وأشارت هذه النظرية أيضا إلى أن الأطفال لا يتعلمون السلوك المناسب لجنسهم/هن من خلال التجربة والخطأ فقط trial & error ، وإنما يتعلمونه من خلال عملية الملاحظة observation والنمذجةmodeling ، للجنس نفسه وخاصة إذا ما تلقوا مديحا على السلوك. كما أن الاستجابة التي يتلقاها الأطفال من الأب والأم لأي سلوك ستؤثر على ردود فعلهم/هن إزاء سلوكات وحوادث مشابهة، فإذا تصرف الأبوان مع الذكور بطريقة مختلفة عن الإناث فإنه سيتولد ما يسمى بالسلوك النمطي الجندري.Gender-typed behavior

.(Wharton, 2005)فمثلا عندما ترى البنت الأم دائما تقوم بأعمال المنزل ينطبع في ذهنها أنه يجب عليها أن تتعلم هذا الدور المرتبط بجنسها. وكذلك الأمر بالنسبة إلى الولد فعندما يرى أباه يعمل خارج المنزل ينطبع في ذهنه أن هذا الدور هو الدور المناسب له والمطلوب منه حسب نوعه البيولوجي. وينسحب هذا الأمر على كافة السلوكات الأخرى.

وتظهر نظرية التعلم الاجتماعي الأطفال بأنهم/هن سلبيين/ات، فهم/هن عبارة عن وسيلة لنقل ما تحتويه الثقافة المحيطة فقط. بالإضافة إلى أن هذه النظرية لم تشرح ولم تفسر كيف يطور الأطفال صورا نمطية واتجاهات حول الجندر، فتظهر الأطفال وكأنهم/هن قوالب من الطين يتم تشكيلهم/هن بناء على موجودات البيئة المحيطة بهم/هن . (Wharton, 2005) .

نظرية التطور المعرفي

طور كل من جان بياجيه piaget Jean وكولبرج Lawrence Kohlberg نظرية التطور المعرفي Cognitive Development Theory . ورأيا أن السلوك الإنساني يتطور كنتيجة لعمليات النضج والخبرة، حيث يولد الأطفال بعمليات فطرية على مستوى بدائي. وتتضمن عملية التفكير مخططات عقلية، وقدرة على حل المشكلات، وبناء الواقع. ثم مع النمو تبدأ الخبرات والإنجازات التي يتدرب عليها الفرد خلال مراحل الحياة المختلفة بالتراكم من خلال عملية التمثيل assimilation حيث تحل المشكلات من خلال المخططات العقلية schemes ثم المواءمة accommodation التي تعمل على تعديل المخططات العقلية لمواجهة المثيرات الخارجية. وهذه العمليات معا تخلق توازنا في الإدراك المعرفي يؤدي إلى وجود تكيف وتواؤم متوازن ومتناغم مع البيئة المحيطة. (سليمان،2005.(

وركز بياجيه في هذه النظرية على الشكل المثالي لتفكير الأطفال ideal form ويعني به الكيفية التي يعقل الأطفال بها الأشياء، وكيفية الاندماج نحوها. ويعتبر بياجيه أن الذكاء: "القدرة على التفكير المنطقي" يتطور نتيجة للتفاعل بين قوى الوراثة وقوى البيئة. وقد اهتم بياجيه بأشكال التفكير أكثر من اهتمامه بمحتواه لذلك اهتم بعمليتين أساسيتين وهما :التنظيم organization

والتكيف . adaptation أي يقوم الأطفال بتنظيم الخبرات عن العالم مما يعطي معنى للأشياء الموجودة فيه. ويقوم الأطفال بتكييف البناء المعرفي لاكتساب خبرات جديدة من خلال عمليتي التمثيل والمواءمة. فيستطيع الأطفال من خلال عملية التمثيل إضافة معارف جديدة إلى بنائهم/هن المعرفي، ويحاولون/ولن تغيير الأشياء من حولهم/هن. أما عملية المواءمة فتؤدي إلى أن يغير الأطفال ما في أنفسهم/هن من بناء معرفي للتكيف مع البناء الجديد من المعارف والخبرات، وعندما يحقق الأطفال التوازن balance بين هاتين العمليتين يصبح لديهم/هن مخطط للتعامل بنجاح مع المواقف المشابهة. (ناصر،2004. (

وتعتبر نظرية التطور المعرفي مخالفة لنظرية التعلم الاجتماعي. فهي تنظر للأطفال على أنهن/هم مسؤولات/ين عن تشكيل التنميط الجندري الخاص بهن/هم، فما يتعلمه الأطفال في مراحل العمر المختلفة هو المحدد الأساسي للتنميط الجندري. ويؤكد كل من بياجيه وكولبرج أن الأطفال يمررن/ون بمجموعة من المراحل حتى يصلن/لون إلى مرحلة الرشد، ويتعلمن/مون التنميط الجندري تماما كما يتعلمن/مون المفاهيم الأخرى. والخطوة الأولى لتعلم التنميط الجندري هي تطور الهوية الجندرية من خلال عملية النضج المعرفي Process of Cognitive Maturation ، عندئذ يبدأ الأطفال بعنونة أنفسهن/هم كإناث أو كذكور ومن ثم اختيار السلوك المناسب حسب الجنس .(Wharton,2005)حيث تتطورعبر مراحل نمائية مختلفة ومتسلسلة أثناء اكتشاف الأطفال لعالمهن/هم الخارجي ومكوناته. ففي المراحل الأولى يستطيع الأطفال تمييز جنسهن/هم ويظنن/ون في هذه المرحلة أن الجنس قد تغير بتغير طريقة اللباس وتمشيط الشعر. ويتم ذلك في الأعمار ما بين (2-3) سنوات، أما في عمر (5-7) سنوات فيطور الأطفال مفهوم الجندر الدائم والمستمر gender constancy ويعرفن/فون في هذا العمر أن كل ما يرتبط

بجنسهن/هم من مفهوم الجندر هو دائم ولا يمكن تغييره. وهذا لا يتحقق من خلال التعلم الاجتماعي وإنما من خلال مستوى النضج المعرفي لدى الأطفال كفاعلات/ين إيجابيات/ين في المجتمع. فيعرفن/ون التوقعات الاجتماعية المقبولة في المجتمع والمرتبطة بجنسهن/هم، وبالتالي يمارسن/ون الأدوار والسلوكات الجندرية ويتصفن/فون بالصفات الجندرية التي ستلاقي القبول ممن حولهن/هم. وتكون مخرجات هذه العملية التوحد identification فهي نتيجة وليست سببا للتنميط الجندري تبعا لهذه النظرية. فالأطفال يجدون ميلا إلى نمذجة المشابهات/ين لهن/هم ممن يتمتعن/عون بمكانة عالية من الجنس نفسه .لذا يتوحد الذكر مع شخصية أبيه كنموذج للسلوكات الذكورية المرغوبة، وتتوحد الأنثى مع أمها كنموذج للأدوار الأنثوية .

وتعطي هذه النظرية أهمية للثواب والعقاب فيما يتعلق بالتنميط الجندري المناسب للجنس، وترى هذه النظرية أن الأطفال يطورن/ون بشكل إيجابي معتقداتهن/هم وقيمهن/هم وسلوكهن/هم حسب ما يلائم جنسهن/هم. (Crawford & Unger,2000) .

ومن خلال النمذجة من النوع نفسه same sex models يتعلم الأطفال المقياس الذي يقسن/ون من خلاله الصفات والسلوكات والاتجاهات والمشاعر المناسبة لجنسهن/هم والتي يجب عليهن/هم تبنيها.

وهنا تجدر الإشارة إلى أن هذه النظرية تعرضت للانتقاد؛ لأنها وصفت ما يقوم به الجنسان من السلوك المناسب لجنسهما ولكن دون أن تكون مفهوما واضحا عن الجندر. كما أنها لم تحدد ميكنزمات لتفسير كيف يتم التطور المعرفي. ولم تختبر الفرضية التي اعتبرت فيها بأن الهوية الجندرية هي المتطلب السابق لوجود ديمومة واستمرارية للجندر gender constancy أو لتوفر معلومات حول الجندر. (Matlin, 1996) .

نظرية سكيما الجندر

ساهمت أفكار كل من نظرية التطور المعرفي ونظرية التعلم الاجتماعي في تطوير نظرية سكيما الجندر Gender Schema Theoryالتي تقدم تفسيرا لكيفية تطور الدور الجندري. وقد طورت ساندرا بم Sandra Bem نظرية التطور المعرفي تحت اسم سكيما الجندر. والسكيما تعني : " تصورات أولية قد تشمل خصائص مادية ملموسة أو معنوية تشمل النواحي الاجتماعية والاقتصادية، تساعد على فهم الواقع وقد تؤدي إلى تحيز في فهم هذا الواقع، ويمتلك الإنسان أكثر من سكيما عن معطيات العالم المختلفة."

وتعتبر ساندرا بم أن الأطفال يستخدمون الجندر كأساس أو سكيما تبني وتقود تصوراتهم/هن عن الواقع، وتساعدهم/هن في تنظيم معلوماتهم/هن عن أنفسهم/هن وعمن حولهم/هن وعن بقية العالم. وذلك من خلال تعريف المجتمع الذي يعيشون فيه للذكورة والأنوثة. وتفترض ساندرا أن عمليات التطور المعرفي للأطفال تعكس التنميط الجندري لديهم/هن. وتأخذ من نظرية التعلم الاجتماعي إيمانها بأن التنميط الجندري يتم اكتسابه من خلال المعايير الأساسية المناسبة للجنس والسائدة في المجتمع. وتفترض نظرية سكيما الجندر بأن الإنسان/ة يتعاملان مع الناس والأشياء والنشاطات المختلفة من خلال الجندر. وتحدد الثقافة أي نوع من ال سكيما الأهم فيما يتعلق بما هو مناسب للجنسين وكيفية التعامل معهما. وأكدت هذه النظرية أن الجندر بعد مهم جدا يؤكد على وجوده الأطفال حتى يستطيعون/طعن فهم العالم المحيط بهم/هن .(Matlin,1996) ففي اللحظة التي يتم فيها تعلم تعريف الثقافة المناسب لمفهوم الجندر يصبح هذا التعريف الثقافي الأساس الذي يتم حوله بناء وتنظيم كافة المعلومات، وهنا تتطابق نظرية سكيما الجندر مع نظرية النمو المعرفي من ناحيتين:-

1. تعتبر نظرية سكيما الجندر بناء معرفيا يساعد في تفسير التصورات عن العالم المحيط.

2. قبل أن تتشكل سكيما الجندر وقبل أن تتم معالجة المعلومات المرتبطة بمفهوم الجندر بشكل مناسب، يجب أن يكون الأطفال على مستوى معرفي يستطيعون/عن فيه تعريف مفهوم الجندر والتوحد معه. فمثلا عندما تتعلم البنت أن التصورات الثقافية للأنوثة هي الأدب والرقة، يساهم هذا النمو المعرفي في بروز سكيما الجندر لديها، وتبدأ بتكييف سلوكاتها وفق هذه التصورات. وبعدما يطور الأطفال سكيما الجندر يستخدمونها/دمنها بشكل كبير لتنظيم وجهات نظرهم/هن. (Lindsey,1994) .

وإن نظرية سكيما الجندر تهدم الفجوة ما بين وجهات النظر السوسيولوجية والنفسية فيما يتعلق بالتنشئة الاجتماعية للدور الجندري. فهي تقدم بديلا متاحا من خلال افتراضها بأن الأفراد يتفاعلون/لن مع بيئتهم/هن المحيطة، ويقومون/قمن بشكل إيجابي وفعال ببناء أسس معرفية تظهر وعيهم/يهن بمكونات البيئة المحيطة بهم/هن. وفي الثقافات التي يكون فيها التمييز الجندري موجودا بشكل كبير يتعلم الأطفال كيف يستخدمون/دمن الجندر في تجاربهم/هن ومعالجة المعلومات الجديدة التي يتم اكتسابها. وخلال هذه العملية يكتسب الأفراد الصفات والشخصية المنسجمة مع فهمهم/هن لأنفسهم/هن كذكور أو كإناث. بمعنى آخر يطورون/ورن سكيما الجندر أي بناءات معرفية تساعدهم/هن للتمثل assimilate وتنظيم مفاهيمهم/هن. فالشخصية الجندرية حسب ما لاحظته ساندرا بم هي أكثر من كونها مجموع خصائص ذكورية أو أنثوية وإنما هي الطريقة التي يتم من خلالها النظر إلى الواقع الذي يقوم بإنتاج وإعادة إنتاج هذه الصفات خلال دورة الحياة وبناء الذات. فالعالم الاجتماعي الكبير المحيط بنا يزودنا بالمواد الخام التي يتم بناء الهوية الجندرية من خلالها. وبالمقابل تقود هذه الهوية تصوراتنا وسلوكاتنا الجندرية، فالأطفال يستخدمون/دمن ما هو موجود في المجتمع المحيط بما يناسب

جنسهم/هن ويتجنبون/نبن ما هو غير مناسب من أجل الثواب والعقاب. لذلك ينظر الطفل/ة للجنس الآخر بأنه الجنس المعاكس والنقيض له/ها. مما يتولد لدى الذكور ما يسمى بالتفوق العرقي . Androcentrism والذي يعني: الاعتقاد بأن للذكور والذكورة مكانة فوقية أعلى من مكانة الإناث والأنوثة؛ فتصبح الذكورة المعيار الأساسي في المجتمع الذي يتم من خلاله المقارنة والقياس للسلوكات. وتمتلك صفات الذكورة قيمة أعلى في المجتمع وتكون مرغوبة بشكل أكبر من صفات الأنوثة (Wharton, 2005) .

وتعتبر هذه النظرية أن الأطفال هم/هن من ينشئون/شئن أنفسهم/هن من خلال سكيما الجندر، وتنظر بم لعملية التنشئة الاجتماعية الجندرية أنها ليست فقط تعلم ما هو متوقع من الانسان/ة كذكر أو كأنثى، وإنما أيضا باعتبارها العملية التي يصبح الانسان/ة من خلالها لديهما سكيما الجندر التي تساعدهما على معالجة وتنظيم وتفسير المعلومات، فترى ساندرا بم الشخصية الجندرية كمنتجproduct ، وكعملية process أيضا. وعندما يتم تعلم السكيمات الجندرية يسهل تعديلها كما هو الحال في نظرية التعلم الاجتماعي. وقد بينت بم أن بإمكان الراشدين/ات تعليم الأطفال سكيمات أخرى جديدة عوضا عن تلك التي تعزز الدور الجندري التقليدي وذلك من خلال مشاركة الآباء في الأعمال المنزلية، أو تقديم هدايا غير تقليدية مثلا دمى للأولاد والكرة للبنات ، أو تعريف الأطفال على رجال ونساء في مهن غير تقليدية .

والطفل/ة اللذان ينشآن في مثل هذه البيئة الثقافية ينموان بشخصية أندورجينية . Androgynous فالشخصية الأندروجينية هي التي تعمل على دمج الخصائص الإيجابية التي يعتقد أنها ذكورية مع تلك التي ينظر إليها عادة على أنها أنثوية . فقد يستطيع الفرد أن يكون عقلانيا وعاطفيا في الوقت ذاته؛ لأن صفة العاطفة لن تنتقص من إنسانيته إذا كان ذكرا وصفة العقلانية وقوة الشخصية لن تنتقص من الأنوثة حسب المعايير الثقافية.

ثالثا- النظريات الاجتماعية

-نظرية الدور الاجتماعي

تنطلق نظرية الدور الاجتماعي Social Role Theory من تعريف المجتمع لأدوار المرأة والرجل. وتعرف هذه النظرية الدور الاجتماعي: "بأنه مجموعة من السلوكات المتوقعة وما يرتبط بها من قيم". ومن رائدات هذه النظرية إليزابيث جينوي Elizabeth Janeway التي اعتبرت أن الدور يتضمن بعدين: الأول يرى بأن الأدوار موجودة بشكل مستقل وخارجي عن الأفراد لأن المجتمع يعرف الأدوار بشكل عام بحيث يتجاوز الأفراد الذين/اللواتي يمارسون/رسن هذه الأدوار. فكل فرد في المجتمع يمارس مجموعة محددة من الأدوار. والبعد الثاني يرى أن المجتمع يصنف الأدوار المناسبة حسب الجنس. فالمرأة مثلا ما زال دور الرعاية مرتبط بها، والتوقعات المرتبطة بهذا الدور هي العناية بشكل كبير بالأطفال وكبار السن والمرضى ومن لديهم/هن صعوبات معينة. فإذا مرض الطفل/ة فإن المتوقع من المرأة الأم أن تأخذ إجازة من عملها لرعاية الطفل/ة. وكذلك الأمر مع أي فرد في العائلة يحتاج إلى العناية بسبب المرض أو لأي سبب آخر. فالأنثى الموجودة في العائلة هي من يقع على عاتقها ممارسة هذا الدور وما يرتبط به من توقعات؛ لذلك تؤثر هذه التوقعات على عملها خارج المنزل، وعلى نوع الأعمال التي تمارسها. فما زال تمثيل المرأة في مواقع العمل غير متكافىء مع الرجل، حيث تتركز المرأة في قطاع الخدمات والعلاقات الإنسانية، في حين ينتقل الرجل إلى المواقع التنفيذية ويصل لأعلى المناصب. وحتى في مواقع العمل يطلب من المرأة القيام بأدوار النشاطات الاجتماعية وقلما يطلب من الرجل ذلك حتى لو شغل الموقع نفسه أو أقل موقعا . (Wood,1994) .

وركز جورج ميد George Herbert Mead رائد هذه النظرية على مفهومين أساسيين في هذه النظرية وهما - المكانة الاجتماعية -social status والدور الاجتماعي . social role حيث يرتبط بكل مكانة نمط من السلوك المتوقع. فالذكر يكون له مكانة اجتماعية مرتبطة بسلوكات اجتماعية متوقعة، عكس الأنثى تماما، وتكتسب المكانة والدور أثناء عملية التنشئة الاجتماعية وارتباط الطفل/ة بالأشخاص المهمين/ات في حياتهم/هن. كالأب والأم والمعلم/ة. ويتم تعلم الدور الاجتماعي إما بشكل مباشر مثل ما هو مناسب للإناث من لباس وسلوك وغير ذلك، وهنا يلعب السن دورا مهما فما كان يسمح به أثناء الطفولة يتغير في مرحلة البلوغ والتقدم بالسن.

ويكتسب الطفل/ة أيضا الأدوار الاجتماعية من خلال المواقف التي يتعرضان لها، فإما أن يلقيا التأييد في حالة السلوك المناسب حسب النوع البيولوجي، أو يتلقيا العقاب في حالة السلوك غير المناسب. بالإضافة إلى استخدام النمذجة modeling للآخرين المهمين/ات في الحياة، وذلك من خلال المعاني التي يعطيها هؤلاء المهمين/ات للأشياء والموضوعات. فإما أن يكتسب الأطفال الاهتمام بها أو ازدرائها من خلال كيفية تناولها من قبل المهمين/ات في حياتهم/هن (الرشدان،1999). وتحدث ميد أيضا عن الاتجاهات المركزية المكتسبة في مرحلة الطفولة والمرتبطة بالآخرين المهمين/ات، حيث تتشكل الاتجاهات نتيجة لعملية التقليد سواء كان تقليدا للآباء أم للمدرسين/ات أم للأصدقاء والآخرين المهمين/ات significant others في حياة الطفل/ة. وتؤثر هذه الاتجاهات في عملية الإدراك perceptionوعملية التعلم. فالاتجاهات جزء من الميكنزمات التي تتحكم في الإدراك؛ إدراك الفرد لاتجاهات الجماعة المرجعية التي بدورها تكون الأساس الذي يوجه السلوك أحيانا. فالوالدان والمعلمات/ون ينقلون/قلن إلى الأطفال

عن طريق عمليات التعلم والتقليد وتوجيه ميولهم/هن واتجاهاتهم/هن. وغالبا ما تتوافق اتجاهات الأطفال مع اتجاهات الآخرين/يات المهمين/ات . (عقل،1988).

النظرية الإثنوميثودولوجية

تعتبر النظرية الإثنوميثودولوجية Ethnomethodology إحدى نظريات التفاعل الاجتماعي التي تعتبر أن مفهوم الجندر يفعل ويمارس ويختلف باختلاف مواقف التفاعل الاجتماعي. لذلك ينظرون/رن إلى الجندر كمفهوم مبني على التفاعل .Doing Gender ومن رواد هذه النظرية ويست و زمرمان.West & Zimmerman

ولقد خالف هؤلاء من يرون أن الجندر مجموعة ثابتة من الصفات والسلوكات. وبدلا من ذلك وانطلاقا من doing genderأكدت الإثنوميثودولوجية أن هذا المفهوم يقسم العالم إلى نمطين متقابلين ويجب أن يفهم كإنجاز .accomplishmentأي أنه إنتاج للجهود الإنسانية. وتنظر النظرية الإثنوميثودولوجية إلى التنميط الجنسي-sex categorizationعلى أنه أمر متكرر يعكس الاتجاه الطبيعي Natural Attitude لمفهوم الجندر. فالنمط الجنسي والاتجاه الطبيعي بالنسبة إلى هذه النظرية هي بناءات اجتماعية أكثر من كونها حقائق بيولوجية، وقد قام كل من ويست و زمرمان بتوسيع مفاهيم هذه النظرية من Doing gender إلى doing difference ، أي أن صناعة المفهوم تؤدي إلى صناعة الفروقات بين الجنسين من خلال وصف مفهوم القوة وعدم المساواة بين الجنسين بشكل عام. فمن خلال التفاعل الاجتماعي بين الأفراد ينتج مفهوم الجندر، وينتج معه الاختلاف في مفهوم القوة والمساواة الاجتماعية ليس بناء على مفهوم الجندر فقط وإنما بناء على العرق والطبقة أيضا. فالتنميط الجنسي

موجود دائما كأساس للتفاعل بين الأفراد ويستخدم كقاعدة لتفسير سلوك الآخرين.(Smith,2002) .

وما يميز هذه النظرية هو أنها تنظر إلى الأفراد الذين/اللواتي يمارسون/رسن نشاطات وسلوكات ويكونون/نن مسؤولون/ات عن أداء هذه السلوكات سواء كرجال أم كنساء. وهنا يتم صناعة الجندر. وبين زمرمان أن هدف الإثنوميثودولوجية هو تحليل النشاطات والسلوكات المتموقعة في البناء الاجتماعي، والتي يمارسها الأفراد بناء على الجنس. خاصة وأنها تصبح فيما بعد موضوعية وواقعية ومستقلة عن الأفراد. وتهتم هذه النظرية إلى التوصل إلى الكيفية التي يتم من خلالها بناء واكتساب هذه الخصائص والتي تصبح فيما بعد تصورات معيارية Normative Conceptionsلمفهوم الجندر. وتتحدد معاني هذه التصورات من خلال الأطر الاجتماعية المحيطة بالأفراد في مواقف التفاعل والتي تعتمد على الإجماع المعرفي Cognitive Consensus المتعارف عليه في مجتمع ما . ومن ثم تبنى عليه التصورات التقليدية لمحتوى مفهوم الجندر. وإن أهم ما يميز هذه النظرية هو أنها تنظر للنوع البيولوجي sex أيضا على أنه مصنوع اجتماعيا وثقافيا أكثر من كونه حقيقة طبيعية بيولوجية. وهي بذلك تعتمد على الإجماع المعرفي في الثقافات الذي يرى بأن النوع البيولوجي مقسوم إلى نوعين فقط (ذكور/إناث) وفيه يسعى الأفراد بناء على هذه الأجهزة التناسلية على تصنيف أنفسهم/هن لأي نوع ينتمون/مين. وبناء على ذلك يبدأ كل منهما بالتصرف تبعا للتصورات المعيارية السائدة في الثقافة والتي تحدد وتوجه الأفراد ليسلكوا/كن ما يتناسب مع جنسهم/هن. وترى هذه النظرية أن الثقافة والمجتمع يتجاهلان احتمالية وجود تصنيفات أخرى في المجتمع قد تحمل صفات النوعين معا أو غير ذلك. ومن هنا تعتبر الإثنوميثودولوجية أن كلا

المفهومين يتحقق من صنع الأفراد، ومن خلال التفاعل الاجتماعي الذي يتم في أطر مختلفة، والذي تنتج عنه علاقات اجتماعية. ومن ثم يغدو المفهوم متواجدا بشكل مستقل عن الأفراد ليصبح في إطار مؤسسي. فالجندر إذن لا يقتصر على كونه أدوار أو صفات للرجال والنساء، بل يتعداها ليغدو ميكانيزم تتجسد فيه السلوكات الاجتماعية التي بدورها تساهم في إنتاج وإعادة إنتاج البناء الاجتماعي. فالتصورات المرتبطة بمفهوم الجندر التقليدية هي التي حددت وجود نوعين بيولوجيين فقط هما الذكور والإناث. ولكن هذه التصورات تطورت بسبب وجود المثليين/ات والمتحولين/ات من جنس إلى آخر. وبالتالي أصبح المفهوم الآن يتضمن جميع هؤلاء بحكم مكانتهم/هن وموقعهم/هن وخصائصهم/هن وصفاتهم/هن وسلوكاتهم/هن داخل البناء الاجتماعي في أي مجتمع، انطلاقا من أن الجندر مفهوم يبحث بالمتغير، وما هو مؤسس ثقافيا واجتماعيا عبر الزمن.(Wharton, 2005; Smith, 2002) .

ولكن تركيز هذه النظرية على كيفية خلق هذه الفروقات جعلتها تكون نظرية وصفية أكثر من كونها نظرية تفسيرية. فهي ركزت على مفهوم الجندر كأداء وكفعل وعلى تفاوت المفهوم وعدم ثباته حسب المواقف الاجتماعية. واعتبر هذا مأخذ عليها لأنها في تركيزها على الأداء وتغيره حسب مواقف التفاعل لم ترينا كيف يتغير هذا الأداء بشكل منظم، وما هي العوامل التي تؤثر على تشكيل هذه الاختلافات .

نظرية خصائص المكانة

تجيب نظرية خصائص المكانة Status Characteristics Theory على هذا التساؤل : كيف يساعد التفاعل الاجتماعي في إنتاج الفروق الجندرية بين الجنسين وعدم المساواة بينهما؟

وتعتبر هذه النظرية أن التفاعل الاجتماعي يتطلب أن يوجه الأفراد المتفاعلين/ات أنفسهم/هن نحو الآخرين. فالتنميط الجنسي هنا ضروري لتسهيل التعامل مع الآخر/الأخرى، ولتنظيم عملية التفاعل الاجتماعي بين الجنسين أكثر من أي تنميط آخر. ومن رواد هذه النظرية ريدجويه. (Wharton,2005) . Ridgeway

ويؤدي التنميط الجنسي إلى وجود توقعات جندرية، وصور نمطية لكل جنس. وهكذا يتعلم الأفراد كيف يتوقعون/قعن أنواعا محددة من السلوك والاستجابة من الآخرين انطلاقا من النمط الجنسي .sex-category وتعمل هذه التوقعات كمؤشرات معرفية توجه الإنسان/ة إلى كيفية السلوك والاستجابة في موقف ما. واعتبرت رايزمان Rismanذلك نوعا محددا من أنواع الفلكلور التي يجب أن تؤخذ بعين الاعتبار في كل تفاعل اجتماعي. فالأفراد يستجيبون/بن للآخرين بناء على ما يعتقدون/دن أنه متوقع منهم/هن، ويفترضون/ضن أن الآخرين يستجيبون/بن بالطريقة نفسها. وقد قدمت هذه النظرية تفسيرا لافتراضها مفاده أن تنميط الآخرين بناء على الجنس ينتج توقعات جندرية، وصورا نمطية من خلال مفهوم خصائص المكانة والذي يعني: "نوع من أنواع العزو الموجود في مجتمع ما والذي يختلف فيه الأفراد من حيث الاحترام والقيمة للمكانة التي يحتلونها في البناء الاجتماعي بناء على العزو attribute، مثل الذكور والإناث."

والجندر في كل المجتمعات المعاصرة هو مكانة لها خصائص ، وغالبا ما تكون مكانة الذكور أفضل من مكانة الإناث. ومن هنا يساهم النمط الجنسي في تشكيل توقعات الأفراد بناء على الصور النمطية لمكانة الآخر/الأخرى. ولكن الجندر لا يعتبر وحده الأساس الذي يوضح الاختلاف في القوة والمكانة فهناك محددات أخرى: كالعمر، كبار السن، العرق، والطبقة. وهذه النظرية

تفسر أنماط التفاعل الاجتماعي الموجهة لتحقيق هدف ما، مثل التفاعل الذي يحدث في أماكن العمل، المدرسة، وبين الجماعات ذات الضمير الجمعي. فالتوقعات هنا ترتبط بالأداء performance ويشكل الأفراد توقعاتهم/هن من الآخرين من خلال خصائص المكانة التي ترتبط بتحقيق الهدف. فالأفراد الذين يحتلون/للن مكانة متدنية القيمة لن يستفيدوا/تفدن من توقعات الأداء. والنساء غالبا ما يقيم أداؤهن بدرجة أقل من تقييم أداء الرجل، وينظر لهن بأنهن أقل كفاءة من الرجال ولا تعطى أعمالهن قيمة كبيرة.

وتعتبر هذه النظرية أن تأثير الجندر في التفاعل الاجتماعي يختلف باختلاف الموقف، فيكون تأثيره كبيرا في مواقف التفاعل مع الجنس الآخر عندما يكون الجندر مرتبطا بشكل مباشر مع هدف هذا التفاعل، فإن كان هناك موقف تفاعلي لإنجاز مهمة ما منمطة ثقافيا على أنها ذكورية، فإن الذكور هنا يحتلون المكانة الأعلى من حيث امتيازات القوة والكفاءة، فيتحدثون ويوجهون الموقف لتحقيق الهدف من خلالهم، والعكس صحيح إذا كان موقف التفاعل لتحقيق هدف ما منمطا ثقافيا بأنه أنثوي (Wharton, 2005) .

نظرية الفروق الجندرية

تعتبر نظرية الفروق الجندرية Gender Difference Theory أن الخلل في النظام التعليمي جاء نتيجة لعدم التوافق ما بين الثقافة المدرسية والتعليمية، وما بين الثقافة الأنثوية. فالقيم العلائقية relational values تتعرض للخطر في الحيز العام الذي يركز على العقلانية والمنافسة والقيم المادية وثقافة الاستهلاك. ويؤكد منظرو ومنظرات هذه النظرية على ضرورة المعرفة العقلانية للأنثى لإثبات وجودها. وأن تكون البيئة المدرسية المكان الذي تستطيع الإناث من خلاله فهم العالم بطريقتهن وقيمهن الأنثوية. وترى هذه النظرية أن الإناث

لسن بحاجة إلى وجود حياد جندري gender-neutral في البيئة المدرسية فقط وإنما هن بحاجة إلى وجود نظام تعليمي يقوم على التوازن الجندري . gender- sensitive لا انطلاقا من عدم وجود تبعية inferior أو استعلاء superiorلأحد الجنسين على الآخر، وإنما الانطلاق من أن لكل جنس الطريقة الخاصة به في الوصول إلى المعرفة بحد ذاتها، وبناء على معارفهم/هن الخاصة. (Thompson,2003) .

وتؤكد هذه النظرية ضرورة نشر القيم الأنثوية في البيئة المدرسية وفي المناهج، وترفض اعتبار النجاح المدرسي للبنت محاكاة للنماذج الذكورية الناجحة في المدرسة. فمعايير الذكور ليست هي المعيار الذي يجب أن يحتذى به. كما وتؤكد على ضرورة التركيز في إطار المدرسة وفي محتوى المناهج على أهمية القيم العلائقية الأنثوية relational valuesبالدرجة نفسها التي يتم فيها إبراز القيم الذكورية العقلانية. rationalistic values

وهذه النظرية ترفض أن تكون معايير العقلانية والإنجازات في الحيز العام هي فقط معايير ذكورية لتشكيل الهوية . فهي ترى النساء قادرات على إثبات أنفسهن وإنجاز ما ينجزه الذكور في الحيز العام، ولكن بدون التشبه بهم. فلهن قيمهن الخاصة بهن والموازية لقيم الذكور والمستقلة عنها في الوقت نفسه. ومن هنا يجب ألا تستغل الفروق بين الجنسين كقاعدة للتمييز ضد المرأة انطلاقا من أفضلية الجنس الذكري. وهذه النظرية تؤمن بأن التهميش والإقصاء لمهارات ومعارف الحيز الخاص هو تمييز بحد ذاته، فالمرأة تضفي طابع المهارات العلائقية على جو العمل. هذه المهارات التي تمتاز بمكانتها واختلافها عن مهارات الذكور والتي لا تقل عنها في القيمة (Thompson, 2003) .

نظرية التنشئة الاجتماعية الجندرية

يؤكد منظرو ومنظرات التنشئة الاجتماعية الجندرية . Gender Socialization Theoryأن الأنوثة ليست معطى طبيعي وإنما هي مكتسبة achieved نتيجة للتعليم القائم على الدونية والتبعية التي تتربى عليها المرأة منذ نعومة أظفارها فتدفعها إلى الإعتناء بمظهرها ورؤية الضعف في نفسها وقلة الفائدة والقيمة. حيث يعتبر كل من Roberta Hallو David Sadker و . Myra Sadker أن الإناث تبدأ بقياس ومعرفة أنفسهن من خلال علاقتهن بالآخرين سواء في إطار العائلة أم في المدرسة أم في مؤسسات المجتمع ككل خاصة وسائل الإعلام حيث تظهر المرأة فيها متلقية سلبية ومستهلكة أكثر من كونها فعالة ونشيطة. ويمكننا أن نضيف إلى ما سبق الانتقادات التي تتعرض لها الإناث في كلامها وأدائها مما يخلق لديها السلبية وعدم الثقة بالنفس.

وتؤكد منظرات هذه النظرية ومنظروها أنه لو كانت توقعات الأهل من الإناث تساوي في درجتها وكمها ونوعها توقعاتهم/هن من الذكور، وإذا تعامل المعلمون/ات في المدرسة بالدرجة ذاتها وبالأسلوب نفسه وبالتوجه عينه مع الطلاب والطالبات، وأعطوهم/هن الفرصة نفسها في التحدي وإثبات الذات، وقدموا/دمن لهم/هن الموارد والمساعدات ذاتها، فإن الخجل وعدم الرغبة في الإفصاح عن الذات ستختفي لدى الإناث. وسيصبحن عقلانيات ومستقلات و ستزداد ثقتهن بأنفسهن وسيصبحن مبدعات مثل الذكور بالضبط. ويجب أن ننظر إلى الخلل هنا بشكل فردي من أي جنس كان، وأن لا نعمم وإنما نتعامل مع حالات فردية. لذلك تؤكد هذه النظرية على أن توفير العدالة يتطلب التدريب على الحياد الجندري gender-neutral وتطبيق ذلك على الجميع بغض النظر عن الجنس. وهنا تتشابه هذه النظرية مع النسوية الليبرالية التي تؤكد على ضرورة تحقيق العدالة والمساواة في الحصول على الموارد وفي فرص العمل والأجور equally pay for comparable work وإزالة كافة العقبات أمام تطور

المرأة ليتطور الجنسان معا. كما تتفق النظريتان أيضا في كيفية تحقيق العدالة بين الجنسين، وذلك بإلغاء التحيز في الصور والمواد الإعلامية، وفي البيئة المدرسية داخل الصف، وتعديل المناهج لصالح الجنسين. عندئذ سيكون الأداء والكفاءة متشابهة لدى الجنسين.
(Thompson, 2003) .

ولكن نظرية التنشئة الاجتماعية أهملت الفروق الفردية بين النساء، واعتبرت أن جميع النساء متشابهات ومشاكلهن متشابهة. وذلك مرده كونها تنطلق من أن الأنوثة والأشكال الأخرى من الاختلاف ليست طبيعية وإنما مصنوعة اجتماعيا وتنتج من خلال المعاملة المختلفة وغير المتساوية بين الجنسين. لذلك تعتبر هذه النظرية أن أي نصر للمرأة هو نصر لجنس النساء عامة. وتعتبر أنه يجب غض النظر عن هذه الاختلافات، والتعامل مع النساء جميعا بطريقة واحدة .

وترى نظرية التنشئة الاجتماعية الجندرية أن النظام التعليمي بشكل عام، والمدرسة بشكل خاص تستطيع أن تحقق أكثر من العدالة بين الجنسين من خلال زيادة عدد المؤهلين/ات من ذوي/ذوات المهارات المتعددة وبالتالي تصبح المدرسة أداة لتنمية المجتمع ككل.
(Sadker & Sadker,1997) .

وفي الوقت الذي تعتبر فيه نظريات التنشئة الاجتماعية تربية الذكور بطريقة مختلفة عن الإناث مشكلة، تركز نظريات الفروق الجندرية على عدم تربية الإناث مثل الذكور وتشدد على ضرورة إعلاء قيمة معايير وصفات الأنوثة تماما مثل معايير وصفات الذكورة.

ومن يدقق/تدقق النظر فيما سبق سيريان بأن كلا من النسوية الليبرالية ونظرية التنشئة الاجتماعية الجندرية تعانيان من خلل واضح، لأن كلتا النظريتين تقارنان المعاملة المختلفة للنساء بمعيار الذكور . يضاف لها أن نظرية التنشئة الاجتماعية الجندرية أهملت دور الأطفال الحيوي في صنع عوالمهم/هن الخاصة.

رابعا- النظريات النسوية

النظرية النسوية الليبرالية

ظهرت النسوية الليبرالية Liberal Feminism Theory في أوائل القرن الثامن عشر في أوروبا الغربية في فترة الثورة الفرنسية، والأمريكية، والثورة ضد الإقطاعية، وعصر التنوير الذي أحدث سلسلة من التغيرات الاجتماعية العديدة في جميع مجالات الحياة؛ مما أدى إلى كسر الأطر التقليدية، والمطالبة بحق الملكية الفردية. ولكن هذه المطالبة بالحقوق الفردية لليبرالية استثنيت منها المرأة، حتى جاء جون ستيوارت مل وزوجته هارييت تايلور وماري ولستون كرافت وطالبن بحقوق متساوية للمرأة مع الرجل.
(Chancer & Watkins2006) .

وتمسكت النسوية الليبرالية بمبادىء الليبرالية التقليدية الرئيسية وأهمها- الفردانية- العقلانية- قيم الحرية والمساواة والعدالة. وهي على الرغم من ذلك قدمت تصورا جديدا لمبدأ العقلانية؛ وذلك ليستوعب النساء. فبدأت النسوية الليبرالية بمنظريها ومنظراتها بالمناداة بالمساواة في الفرص بين الجنسين في مؤسسات المجتمع المختلفة كالتعليم والاقتصاد. وكانت تركز على ثلاثة مبادىء رئيسية لتحقيق ذلك وهي:- حرية الاختيار- الفردية- المساواة في الفرص. لذلك تسمى النظرية الليبرالية أيضا بالنظرية المساواتية . egalitarian feminism وتعتبر من أكثر النظريات اعتدالا ضمن النظريات النسوية. ويؤكد افتراضها الأساسي على: أن جميع الناس من ذكور وإناث متساوون، ويجب عدم حرمان البعض من الفرص المتساوية في كافة المجالات بسبب وجود الجندر. وتعتبر النسوية الليبرالية أن الرجال والنساء لهم/لهن القدرة العقلية نفسها وموقفها هذا ورؤيتها جاء نتيجة لتأثرها بمذهب عصر التنوير الذي يقوم على العقلانية.rationality

هذا وقد اعتبرت أن التعليم هو أحد الوسائل الهامة والأساسية في التغيير وتحويل المجتمع نحو المساواة. وآمنت أيضا بعقيدة الحقوق الطبيعيةnatural rights ، فالطبيعة تقوم على وجود الجنسين معا لذلك يجب أن يكون بينهما مساواة. والحقوق التي يتمتع بها الرجال يجب أن تمتد لتشمل النساء أيضا. وهذا الاتجاه المعتدل يعتبر أن العمل مع الرجال يحقق الهدف طالما أن الجنسين مستفيدان من القضاء على التمييز على أساس الجنسsexism ؛ لذا تحتاج النساء لأن تكون جزءا من الأدوار التي تعتبر حكرا على الرجال، خصوصا فيما يتعلق بالتوظيف والعمل خارج المنزل. وبالمقابل يجب على الرجال أن يقوموا بأعمال ومسؤوليات في إطار المنزل؛ فالتكيف والتمثيل assimilationمفتاح هذه النظرية.

(Lindsey, 1994; Ollenburger & Moore, 1992)

وقد طالبت النسوية الليبرالية بمنح النساء الحقوق التي يتمتع بها الرجال. وذلك بسبب تدني أوضاع النساء في أوروبا في بداية عصر الثورة الصناعية. وكانت ولستون كرافت Wellstoncraft أول من نادت بضرورة تحسين أوضاع النساء ودافعت عن حقوقهن. وأنكرت الإدعاء بأن النساء أقل عقلانية من الرجال أو أنهن أكثر سعيا وراء الملذات. ورأت أن الرجال لو حبسوا في أقفاص مثلما تحبس النساء، فإن الصفات التي سيطورونها ستكون مثل تلك الصفات التي ينسبونها للنساء .(Wellstoncraft, 1975) ومن النسويين/ات الليبراليين/ات البارزين/ات جون ستيوارت مل وزوجته هارييت اللذين دافعا عن عقلانية النساء انطلاقا من أن العقلانية تعني: "القدرة على اتخاذ قرار مستقل لتحقيق الذات". ودعا كلاهما إلى تحقيق مجتمع عادل يقدم تعليما متساويا للجنسين، وإلى فرص اقتصادية وحريات مدنية متساوية أيضا. انطلاقا من مبدأ عدم وجود فرق في القدرات العقلية بين الرجل والمرأة .

وكان ستيوارت متأثرا بآراء زوجته هارييت تايلور حيث كان يرفض أفكار البيولوجيا التي تعتبر كبر حجم الرجال عن النساء جسديا يؤدي إلى كبر مخ الرجال عن النساء، فبالتالي فإن القوى العقلية للرجال أكبر من قوى النساء العقلية. فمعنى ذلك أن الحيتان والفيلة أكثر ذكاء من الجنسين وهو أمر غير صحيح. كما رفض جون ستيوارت مل أيضا اعتبار المرأة عاجزة عن أن تصل إلى مستويات الإنجاز العقلي نفسها التي لدى الرجل ، ورفض الاعتماد على أن يكون هذا الاعتقاد أساسا للاحتفاظ بالنساء كتابعات للرجال في المجتمع، أو حرمانهن من فرصهن للإنجاز. وقد استند مل في ذلك على أن النساء أنجزن قدرا كبيرا من النجاح على الرغم من كثرة المعيقات أمامهن، وقلة فرصهن في التعليم، وإقصائهن عن مهن ووظائف الرجال. فمن وجهة نظره إن النساء إذا أخذن فرصا متساوية فإنهن يبدعن. وكان دائما يستشهد بنساء كان لهن أثر بالغ في التاريخ، كما ركز دائما على ضرورة تعليم النساء لأنه الشرط الأساسي للوصول للعبقرية والأصالة ولأن المطلوب دائما من النساء اقتصر على تلبية حاجات الرجال والأطفال. وقد أكد مل على أن معاملة النساء بطريقة متحيزة ليس لها أساس عقلي في طبيعة الجنسين، وإنما هي من صنع المجتمع. وهذا أمر ضار بالمجتمع. والعكس تماما يحدث في حالة وجود عدالة ومساواة تامة في جميع مجالات الحياة وخاصة في النواحي القانونية بين الجنسين. حيث يمكن حينئذ إصلاح الجنس البشري؛ لأنه عندما يعترف القانون والمجتمع بأن الزواج والأسرة مشاركة تعاونية بين أنداد، ستصبح الأسرة وبالذات بالنسبة إلى الأطفال مدرسة تعاطف وجداني، ومساواة، وعيشا مشتركا قوامه الحب والود، وليس سلطة في جانب وطاعة في جانب آخر. وفي هذه اللحظة فقط يمكن إعداد الأطفال للعيش معا كأنداد من الجنسين (أوكين،2002). وكان مل يعتقد بأن النساء يفضلن الزواج والأمومة حتى لو منحن فرصا متساوية وفرصا للمشاركة في الاقتصاد والسياسة. وقد اعتقد أيضا بأن النساء إذا تعلمن ما

يتعلمه الرجال فإن الفجوة بين مستوى تفكير كل منهما سوف تزول؛ وذلك لأن قدراتهن العقلية أفضل بحكم اهتمامهن بالتفاصيل، واستخدامهن الحدس في المعرفة. وبالتالي سيؤدي ذلك إلى انتباههن إلى العالم بالقدر نفسه الذي ينتبهن فيه إلى شؤونهن الخاصة. وإن أفضل ما يوجه المرأة للاهتمام بالمجال العام هو منحها حق التصويت. أما أفكار زوجة مل هارييت تايلور فكانت تتوافق مع أفكار مناصري حقوق المرأة في وقتنا الحاضر أكثر من مل. حيث تنبهت إلى أهمية الاستقلال الاقتصادي المستمر للنساء سواء داخل علاقة الزواج أو في حالة الطلاق. وإلى أن النساء المطلقات يجب أن يشرفن على أطفالهن. فمن وجهة نظر تايلور إن اللامساواة بين الجنسين لم تأت نتيجة لقرارات الطبيعة وإنما جاءت نتيجة للعادات والتقاليد الاجتماعية؛ فإذا أعطيت المرأة فرصا متساوية مع الرجل في كافة المجالات فإن القليل من النساء سيفضلن الإنجاب والزواج على العمل. ومن هنا كانت تايلور تحث النساء على العمل خارج المنزل حتى لو لم يكن هناك ضرورة اقتصادية؛ وذلك حتى يشعرن بأنهن شريكات لأزواجهن ولسن مجرد خادمات في المنزل. (العزيزي،2005).

وتنظر النسوية الليبرالية إلى ضرورة تدخل الدولة في الحياة الاجتماعية؛ وذلك لحماية المرأة من ممارسات اجتماعية غير ليبرالية، كما يجب ضرورة ممارسة الدولة التمييز لصالح المرأة؛ لتعويضها عن التمييز والقهر قرونا طويلة، ولتحقيق التوازن مع الرجل في المجتمع. ويشمل التمييز من وجهة نظرها سياسات تفضيل المرأة عن الرجل في التوظيف، ونظام الكوتا في المناصب العامة، بحيث تكون هذه الممارسات مؤقتة حتى تتحقق المساواة الفعلية بين الرجال والنساء وليس فقط مساواة قانونية، وهذا ما سمته النسوية الليبرالية ب " التمييز الإيجابي Affirmative Actions." ولكن في الوقت نفسه رفضت النسوية الليبرالية تدخل الدولة في أمور الإجهاض والإنجاب. (بهلول،1998؛ England,1993).

ويرى منظرو النسوية الليبرالية أن تجاهل المرأة في الفكر السياسي وإقصائها عن المشاركة والتأثير في الحياة الاجتماعية والسياسية والاقتصادية ليس بسبب نقص في أسس الفكر النسوي الليبرالي، وإنما لأن الرجل هو صانع الأحداث ومنتج الأفكار والعقائد الفلسفية والسياسية وهو فاشل في الأخذ بشكل كامل في المبادىء الليبرالية. لذلك تعنى النسوية الليبرالية بالاهتمام بالمرأة أكثر من الرجل انطلاقا من أن لها حقوقا غير محصلة مثل الرجل، ومن أن فرصها في مجال العمل والمشاركة الاقتصادية والسياسية ودورها في الإنتاج الفكري مقارنة بالرجل هي فرص غير متساوية أو تكاد تكون غير موجودة بالنسبة لها كما هي لدى الرجل. فالنسوية الليبرالية تطالب بتحقيق هذه المطالب للإنسان/ة الفرد سواء كان ذكرا أم أنثى. (بهلول،1998 .(

وإن التوجه الأساسي في النسوية الليبرالية يؤكد أن جذور تبعية المرأة تكمن في مجموعة من العوائق التقليدية والقانونية التي تحول دون دخول المرأة في الحيز العام ونجاحها في حيز الرجل؛ لأن المجتمع يعتقد بأن قدرة المرأة العقلية والجسدية أقل شأنا وقيمة ومقدرة من الرجل؛ لذلك هو يستثنيها من الحياة الأكاديمية والفكرية وسوق العمل. وهذا يجعل قدرات المرأة وطاقاتها تبقى كامنة وغير محققة. وتقول أليسون جاكار Alison Jaggar إن المفكرين الليبراليين في مجال السياسة يعتقدون أن القدرة العقلانية هي التي تميز الإنسان وتجعله كائنا فريدا. فاعتبار المرأة كائنا عاطفيا أكثر من كونها عقلانية أو غير مكتملة العقلانية يؤدي إلى نفي صفة الإنسانية عنها وإلى حرمانها من حقوقها. أما الاعتراف بعقلانية المرأة فيمهد الطريق للمساواة مع الرجل في جميع المجالات لأنها تتساوى معه في الإنسانية وملكة العقل. وقد جمعت جاكار بين وجهة نظر النسوية الماركسية والراديكالية من خلال حديثها عن مفهوم الاغتراب alienation ففي ظل النظام الرأسمالي يغترب العمال عن

إنتاجهم، ويمتد هذا الاغتراب إلى العمل الجندري بتأثير من النظامين الأبوي والرأسمالي فتغترب المرأة عن جسدها، وعن عملها الإنتاجي، وأدوارها كأم، حتى في رعايتها لأبنائها وبناتها فتقوم بهذا الدور بناء على محتوى النظام الأبوي . (Ollenburger & Moore, 1992)

وأما الليبرالية بيتي فرايدن Betty Frieden ، رائدة النسوية الليبرالية في إطار الموجة الثانية من الحركة النسوية فأعلنت بأن الدور الجندري مكتسب ويرتبط ارتباطا وثيقا بالطريقة التي يتعامل بها كل من الأولاد والبنات منذ ولادتهم/هن. فالدور الجندري الذي يمنح للإناث يسيطر على عقليتهن ويحصر أدوارهن وتفكيرهن في الأعمال التقليدية كزوجات وأمهات. وهذا جاء نتيجة لحرمانهن من التعليم العالي الذي يؤهلهن لنيل فرص أفضل. ومن هنا كانت فرايدن تشجع النساء على العمل خارج المنزل. والغريب أن حصول النساء على فرص العمل خارج المنزل في أواخر القرن العشرين، أعقبه تراجع بيتي فرايدن عن تشجيعها للمرأة بالجمع بين العمل والزواج والأمومة؛ لأن هذا الجمع زاد العبء على النساء خصوصا للمرأة المثالية (العزيزي،2005). كما تراجعت بيتي أيضا عن فكرة المساواة التامة بين الجنسين مستندة إلى أن الفروق الجنسية بين الجنسين تحول دون تحقيق مساواة تامة بينهما. لذلك دعت بيتي كلا الجنسين إلى تطوير صفات مشتركة بينهما، أي إيجاد الشخصية الاندروجينية التي تجمع بين صفات الذكور والإناث معا وتبادل الأدوار فيما بينهم/هن. ويتم تحقيق ذلك من خلال عملية التنشئة الاجتماعية. وقد لاقت وجهة نظر بيتي فرايدان قبولا من الليبراليات المعاصرات اللواتي أكدن على ضرورة الدعوة لتطوير صفات الشخصية الاندروجينية انطلاقا من أن الأدوار الجندرية للجنسين مكتسبة اجتماعيا ومبنية ثقافيا. وتتم تربية الجنسين عليها وقد يجبران عليها أحيانا. فالأولاد تعلموا كيف يصبحون رجالا، والإناث تعلمن كيف يصبحن نساء كما

قالت سيمون دي بوفوار. ومن هنا نجد أن النمط الثقافي السائد هو الذي يحدد الصفات والأدوار المناسبة للجنسين، وأن معاقبة كل جنس تتم إذا تصرف بطريقة مغايرة. (Bryson,1992) .

وتهتم النسوية الليبرالية بالتمييز الذي يحصل بين الجنسين في العمل، وفي المؤسسات التعليمية والإعلام. ولذا كان تركيزها على إيجاد فرص متساوية بين الجنسين من خلال التشريعات والقوانين انطلاقا من المقولة equal pay for comparable work. أي أنها تعمل وتطالب بالإصلاح من خلال النظام القائم وبشكل قانوني . (Giddens,2001) ففي البداية طالبت النسوية الليبرالية بحق المرأة في التعليم ، العمل، الملكية، التصويت، والمساواة في الحقوق السياسية بين الجنسين. وقد آمنت أنه إذا تحقق ذلك فإنه لن يفيد المرأة وحدها وإنما يفيد الرجال أيضا، ومن ثم المجتمع بأكمله .

وإن أهم ما أكدت عليه هذه النظرية هو ضرورة العمل والتغيير من خلال النظام القائم، وعدم السماح بوجود جماعة تسيطر على أخرى، وتقصد بذلك الرجال. فالنساء تستطعن أن تقمن بالأعمال نفسها التي يقوم بها الرجال اذا أتيحت لهن الفرص في الحراك داخل النظام الاجتماعي القائم، وإذا سمح لهن بممارسة السلطة تماما كالرجل. فهدف النسوية الليبرالية من ناحية نظرية وعملية هو نقل النساء من العمل المحصور داخل المنزل غير المثمن إلى عالم الأعمال ذي القيمة الذي يعتبر حكرا على الرجل. وكانت فرايدان Friedan وغيرها يحلمون بسيادة عالم تستطيع فيه المرأة أن تعمل في أي عمل ذي قيمة تريده في المجال العام.

(Chancer & Watkins,2006) .

وتعتبر الليبرالية النسوية من أكثر النظريات التي حققت إنجازات، منذ أن بدأت بعد الموجة الثانية من الحركة النسوية، وأسست منظمة National Organization for Women. / NOW في المجتمع الأمريكي.

وأصبح عمرها الآن 54 عاما . وهي منذ تأسيسها حققت إنجازات وتغييرات كثيرة في الظروف الاجتماعية والمادية للنساء؛ فقد أصبحت هناك قوانين تضمن فرصا متساوية بين الجنسين في التعليم، والتوظيف، والباب مفتوح أيضا وبشكل قانوني لأي فرد يعاني من التمييز على أساس الجندر، سواء في الأجور أو التوظيف أو الترقي. وأصبحت المرأة تسيطر على جسدها، وتمتلك حرية القرار في الإنجاب. (Wood, 1994) .

إن التحليل الليبرالي النسوي والحلول التي تقدمها تعتبر قصيرة المدى وليست عميقة؛ لأنها تعتبر سوء معاملة المرأة واضطهادها انحراف ضمن النظام القائم وليس وضعا طبيعيا. وتتبنى هذه النظرية هذه الفكرة أكثر من النظر إلى أن اضطهاد المرأة يخدم النظام القائم. وعلى الرغم من أن النسوية الليبرالية انتقدت النظام الاجتماعي القائم بقيمه السائدة إلا أنها أخذت منه العديد من القيم والمعايير. واعتبرت أنه يمكن تحقيق المساواة الناتجة عن التعصب والتمييز ضد المرأة من خلال إصلاح مناهج وبرامج التعليم والسياسات الإصلاحية مثل ما تبناه ميلز "التمييز الإيجابي. (Thompson,2003) . " affirmative action

وتعرضت النسوية الليبرالية للنقد لأنها كانت معجبة بالأخلاق الاجتماعية المستمدة من حياة الرجل، متجاهلة لنمط مختلف نابع من حياة المرأة وطريقة تفاعلها مع العالم. وهي إنما فعلت ذلك لأنها تؤمن بأن الأخلاق المستمدة من السيطرة الذكورية تحط من القيم المرتبطة تقليديا بحياة المرأة وأدوارها الاجتماعية. كما أنها تخلو من أي بعد عاطفي. والنسوية الليبرالية لا تدرك أن المرأة قادرة نتيجة لخبراتها الحياتية والأخلاقية على طرح قيم ومفاهيم أخلاقية تعطي للحياة الاجتماعية طابعا مختلفا عما هو سائد. وتصميم النسوية الليبرالية على ضرورة دخول المرأة إلى الحيز العام :حيز الرجل يشكل اعترافا منها بدونية النشاطات على صعيد الحيز الخاص. (بهلول،1998 ؛ (Lindsey1994.,

وعلى الرغم من تأكيد الليبرالية على ضرورة تبادل الأدوار بين الجنسين إلا أنها ركزت اهتماماتها على وجود النساء في عالم الرجال بينما لم تعر وجود الرجال في عالم النساء أدنى اهتمام. وقد أخذ عليها هذا الأمر حيث ظهرت من خلاله وكأنها أعطت قيمة أكبر للأدوار والأعمال التي يقوم بها الرجال، وقللت من قيمة الأعمال التي تقوم بها المرأة .

النظرية النسوية الماركسية

لم يختلف تصور النسوية الماركسية المعاصرة Marxist Feminism Theory عن الطبيعة الإنسانية عما تضمنته الماركسية التقليدية. ويتركز تصورها في أن الطبيعة الإنسانية لها أساس بيولوجي، وتكمن في قدرة الإنسان/ة على الممارسة واستغلال الطبيعة بوعي وبما يخدم غايات كل منهما. وهذا ما يميز الإنسان/ة عن الحيوانات. وهو المقياس الوحيد للفكر العقلاني. فالطبيعة الإنسانية البيولوجية والفعل الإنساني في علاقة جدلية دياليكتيكية على مر العصور، ولا يمكن فهم النساء بمعزل عن فهم طبيعة المجتمع الذي تعيش فيه.

وإن مفهوم الطبقة هو المحدد لطبيعة، وخصائص، وأدوار الجنسين الجندرية في النسوية الماركسية. فأعضاء الطبقة الواحدة يتشابهون/هن في نشاطهم/هن من خلال الخبرات الاجتماعية المتشابهة نسبيا التي يتعرضون/ضن لها مما تشكل خصائصهم/هن الفيزيائية وسماتهم/هن الشخصية والتي بدورها تتشكل من خلال طرق الإنتاج السائدة في المجتمع. وعلى الرغم من أن ماركس لم يول عناية كبيرة لقضايا المرأة إلا أن إنجلز حارب الادعاءات القائلة بأن خضوع النساء وتبعيتهن للرجال أمر طبيعي، ونتيجة حتمية للفروق البيولوجية بين الجنسين .

وقد فسر خضوع النساء في ظل النظام الرأسمالي بأنه شكل من أشكال القمع الذي تمارسه الطبقة الرأسمالية لخدمة مصالحها. ونوه انجلز بأن المرأة في المجتمعات البدائية لم تكن خاضعة للرجل بل على العكس فقد كانت السيادة مناطة بها. ولكن تطور أساليب الزراعة، واكتشاف المعادن، واستخدام الحيوانات في الزراعة، وتراكم الإنتاج، وفائض القيمة قضت على سيادتها وأدت إلى تراكم الثروة لدى الرجل مما جعله يملك الأرض ومن عليها (العزيزي،2005). وأصبحت مهمة النساء الرئيسية إنجاب الذرية للرجل، والحفاظ على استمرارية نسله واسمه، ورعاية الأطفال، والاهتمام بشؤون المنزل والزوج. وتأسست العائلة وفق نظام الزواج الأحادي لتدعم النظام الرأسمالي الذي يعطي الصلاحية للرجل لكونه وريث الثروة ومورث اسمه لأطفاله. وهذا ما سماه انجلز بالهزيمة التاريخية للجنس النسائي

World Historical Defeat of the Female Sex .

وإذا كانت الحاجة الاقتصادية التي فسرها كل من انجلز وماركس هي التي أدت إلى قبول سيطرة الرجل على المرأة فإن هناك أعدادا كبيرة من النساء قبلن هذه السيطرة باعتبارها فريضة دينية مقدسة. (النيهوم،2002 .(

وقد ميز كل من انجلز وماركس وضع المرأة في الطبقة العاملة عن وضعها في الطبقة البرجوازية. فالمرأة في الطبقة البرجوازية تقمع كزوجة، أما المرأة العاملة فتقمع مع الرجل لصالح الطبقة الرأسمالية أي أنهن في هذه الطبقة متساويات مع الرجال. ونتيجة لما سبق اعترض كل من ماركس وانجلز على تقسيم العمل على أساس الجنس فقط في سوق العمل. فمن وجهة نظرهما يعد هذا التقسيم الأساس المادي لخضوع النساء. وقد رأى ماركس بأن قسمة العمل على أساس الجنس داخل الأسرة هي قسمة طبيعية. بمعنى أن الأدوار الجندرية التقليدية للجنسين كانت مقبولة لديه. حيث أنه آمن بأن الطبيعة البيولوجية

للمرأة بما تتضمنه من حمل وولادة وإرضاع الأطفال ورعايتهم مختلفة عن الرجل؛ ومن هنا اعتبر بأن المرأة يجب أن لا تعامل كالرجل في سوق العمل بسبب الاختلاف البيولوجي الذي يتطلب إبعاد المرأة عن مجال الأعمال الضارة لصحتها .وقد نادى بضرورة أن تخصص لها استراحة أثناء العمل.

ولقد ساهمت النظرية الماركسية وكتابات ماركس في دراسة وضع المرأة. وقد استخدم منظرو ومنظرات النسوية مفاهيم ماركس في الحديث عن اضطهاد المرأة مثل الاغتراب alienation ، والاضطهاد الاقتصادي economic oppression، فائض القيمة use value ، قوة العمل الاحتياطية reserve labor ، والديالكتيك .dialectic (Ollenburger & Moore,1992) .

وقد رأت النسوية الماركسية أن النساء يتم إعدادهن لتقمص الأدوار التي يطلبها منهن المجتمع، وذلك يتحقق حين يتم تكيفهن مع الزواج التقليدي، وفصلهن عن الذكور فصلا تاما. وحين تتم تربية الذكور بطريقة مختلفة. فالنساء والرجال بالتالي يخلقن/قون المجتمع الذي يشكلهن/هم في إطار دياليكتيكي. ومن هنا تنادي النسوية الماركسية بضرورة النظر إلى طبيعة العمل الذي تؤديه النساء، وعلاقاتهن الاجتماعية التي تشكل أفكارهن وتحدد وعيهن؛ وذلك حتى يتم فهم واكتشاف القمع الواقع عليهن. فالنساء في النظام الرأسمالي لا يشكلن طبقة مقابل طبقة الرجال. والصراع القائم بينهما ليس صراعا طبقيا، وإنما هو صراع ناتج عن وعي النساء بحقوقهن بسبب تطور خبراتهن حول ما يقمن به من أعمال مجهدة وغير مدفوعة الأجر مثل أعمال المنزل، وواجبات الزوجية، ورعاية الأطفال. ونتيجة لما سبق استخدمت النسوية الماركسية مفهوم الاغتراب للتعبير عن اغتراب المرأة عن إنتاجها؛ فهي كالآلة تنجب الأطفال وتخدم الزوج. ولن ينتهي شعور الاغتراب عند المرأة إلا عندما تستطيع أن تحقق ذاتها من خلال قيامها بأعمال ذات قيمة وفائدة للمجتمع ككل.

فالنساء يساعدن على إبقاء عجلة الآلة الرأسمالية دائرة من خلال ما يزودن الرجال به من الطعام والكساء والعواطف وتلبية جميع احتياجاتهم. لذلك ترى النسوية الماركسية أن المرأة حتى لو عملت في ظل النظام الرأسمالي فهي أيضا تساعد على استمراريته بسبب الأجور الزهيدة التي تعطى لها. (العزيزي،2005).

وإن أهم ما يميز النسوية الماركسية عن غيرها من النظريات النسوية هو أنها تعتبر بأن الاضطهاد الطبقي هو الاضطهاد الأساسي للجنسين. فالاضطهاد الطبقي في ظل النظام الاقتصادي الرأسمالي يضع المرأة في مواقع عمل دونية وأجور ضئيلة، ويعتبرها قوة عمل احتياطية يتم استخدامها واللجوء إليها عند الحاجة أو في حالة الأعمال المتدنية الأجر. أي أن هذا النظام يتضمن العزل الجندري gender segregation ، في العمل خارج المنزل من ناحية، وداخل المنزل من ناحية أخرى انطلاقا من معرفتهم بأن النساء تقدمن خدمات دون مقابل للرأسماليين من خلال توفير الرعاية والراحة لأزواجهن العاملين في هذا النظام، بالإضافة إلى أن وجود النساء في المنزل يجعلهن مستهلكات لمنتجات النظام الرأسمالي، فهن بذلك يعززن اضطهادهن الاقتصادي الذي يؤدي إلى اضطهادهن من جميع النواحي. نتيجة لما سبق طالب انجلز بالقضاء على الاضطهاد الاقتصادي وإنهائه؛ لأن ذلك سيؤدي إلى القضاء على النظام الأبوي الذي يضطهد المرأة تماما كما يضطهد الرأسماليين طبقة البروليتاريا .(Ollenburger & Moore,1992) .

والنسوية الماركسية تؤمن بأن قمع المرأة ناتج عن التقسيم الطبقي لا عن العلاقات بين الجنسين. فالمرأة تبذل جهدا ووقتا كبيرين لمواصلة إنتاج القوة العاملة في الحياة الأسرية الخاصة. ومن هنا يغدو التقسيم الطبقي هو مفتاح قمع المرأة. فعلى الرغم مما وفر للمرأة من تعليم ورعاية صحية في البلدان الرأسمالية المتقدمة إلا أن النظام القائم فيها بقي يعتمد اعتمادا كبيرا على

العمل الذي تقوم به المرأة دون أجر لإنتاج قوة عاملة صحيحة الجسم والعقل. ومن هنا تدعو النسوية الماركسية فيما يتعلق بتطور الشخصية الجندرية إلى ضرورة البدء في تغيير ظروف العيش الفعلية للنساء والرجال قبل تغيير أنماط التربية الجندرية. وهو أمر يتحقق من خلال إعادة إنتاج العلاقات الاجتماعية القائمة على العلاقات الطبقية في مجتمع يتسم بعلاقات طبقية وجنسانية. (شوي،1995).

نظرية الصراع:

تنطلق هذه النظرية من كتابات كارل ماركس في القرن التاسع عشر. والافتراض الأساسي لها يقوم على أن المجتمع عبارة عن مرحلة من الصراع على السيادة والقوة. وهذا الصراع يظهر بين الطبقات الاجتماعية المتنافسة للسيطرة على وسائل الإنتاج وامتلاك مصادر الإنتاج أيضا. وهذا الأمر جعل عمل المرأة في البيت من ضروريات حياة الرجل وعمله في ظل المجتمع الرأسمالي. فأصبحت تعيش في ظل حكم استبدادي وعجزت عن التحرر من هذا الوضع إلا اذا كان لها مشاركة فعالة وكبيرة في الإنتاج الاقتصادي. ومن رواد هذه النظرية كل من دارندورف وكولينز Dahrendorf & Collins اللذين قاما بغربلة أفكار كارل ماركس وربطها بالحياة المعاصرة، وبالتطورات التي حدثت بعد وفاته ولم يشهدها. فالصراع من وجهة نظر رواد هذه النظرية لا يقوم فقط على الصراع الطبقي، والتوتر الذي يحدث بين المالكين والعمال وإنما يظهر الصراع بين جماعات مختلفة أيضا كالصراع بين الآباء والأبناء، بين الزوج والزوجة، بين كبار السن والصغار، وبين الرجال والنساء وغير ذلك من أنواع الصراع (عودة وعثمان،1989). بمعنى آخر يحدث الصراع بين الجماعات المختلفة سواء أكانت أقلية أم أغلبية. وفيما يتعلق بتطبيق أفكار نظرية الصراع الحديثة على التدرج الجندريgender stratification ، يصبح تعريف الطبقة: "أنها

الجماعات التي تملك السيطرة على المصادر القليلة في المجتمع كالسلطة والقوة السياسية والاقتصادية". وهذه الجماعات تتكون من الرجال نتيجة لامتلاكهم هذه المصادر والقوة الاقتصادية والسياسية على النساء. ويتسبب ذلك في وجود عدم المساواة الجندرية بين الجنسين gender inequality ، حيث تنتقل القوة الاقتصادية التي يتمتع بها الرجل في المجتمع إلى داخل المنزل أيضا إلا إذا كان العمل المنزلي ذا قيمة نقدية، وإذا لم تبق المرأة حبيسة الأدوار المنزلية التقليدية كما نوه إنجلز. وقد أكدت كل من فايرستون وشلتون Firestone & Shelton ذلك من خلال الدراسة التي قامتا بها لدراسة أثر العمل المنزلي على الفجوة الجندرية بين الجنسين فيما يتعلق بالأجور. وقد وجدتا بأن مسؤوليات العمل المنزلي تؤثر بشكل مباشر في مواقع العمل من حيث عدد ساعات العمل، والخبرة المكتسبة أثناء العمل مما يؤثر على الأجور مقارنة بالذكور.(Lindsey,1994) .

وتعتبر هذه النظرية أن الجندر مهم جدا وأهميته توازي وتساوي أهمية الفروق الطبقية بين النساء؛ فالمشاكل الاقتصادية التي تواجهها النساء هي السبب في اعتمادهن على الرجال، وفي مكانتهن المتدنية. ولا يمكن تغيير ذلك إلا إذا شاركت المرأة مثل الرجل في المجال الاقتصادي. ومن رائدات هذه النظرية جولييت ميتشلJuliet Mitchell ، في كتابها "Woman's Estate" ، وآن أوكلي Ann Oakley في كتابها"Woman's Work" ، وشيلا روبوثام Sheila Rowbotham في كتابها :

"Woman's Consciousness, Man's World" .

وقد اهتمت كل منهما في المطالبة بأجور للعمل المنزلي عام 1970، وطالبن بإعطاء النساء أجورا مقابل العمل المنزلي بما يتضمنه من أعمال منزلية ورعاية للأطفال باعتباره غير مقيم وغير مرئي ولا يتم تعويض النساء عنه رغم مساهمته الكبيرة في إجمالي الناتج المحلي Gross National Product GNP .

كما وطالبت النسوية روني ستنبيرج Ronnie Steinberg بالقيمة المتكافئة للعمل المتشابه اذا قام به كلا الجنسين Comparable Work ويقصد بها نموذج العمل الذي يقوم به الجنسان. فالعمل الذي تقوم به المرأة يكون أجره أقل من العمل الذي يقوم به الرجل على الرغم من أن القيمة الاجتماعية للعملين تكون متساوية. فإذا حصل ذلك كما تقول ستنبرج فإن الأعمال التي تقوم بها المرأة ستتقدم ويصبح لها قيمة أكبر وسينظر لها بشكل أفضل . (Chancer & Watkins2006) .

لقد تعرضت نظرية الصراع إلى الانتقاد بالذات الأفكار الماركسية. وذلك بسبب تركيزها المبالغ فيه على عدم المساواة الاقتصادية وما يتبعها من توترات ونزاعات بين الجماعات. فما سبق جعلها تصرف النظر عن كيفية بناء الأدوار العائلية والمهام كشكل آخر من المهام غير الاقتصاد ليغدو عمل المرأة المدفوع الأجر هو الدواء لجميع مشكلاتها للتخلص من سيطرة الذكور في المؤسسات الاجتماعية كما تصور كل من ماركس وإنجلز وهو أمر غير صحيح .

النظرية النسوية الاشتراكية

ظهر الفكر النسوي الاشتراكي Socialist Feminism Theory من قلب النسوية الماركسية، والراديكالية، والتحليل النفسي. وفيه حاولت جولييت ميتشل أن تمزج بين هذه الأفكار الأساسية للمذهب النسوي تحت مظلة مفهوم واحد وهو النوع. ومن هنا اعتبرت أن قمع المرأة متجذر في حياتها في ظل المجتمع الأبوي. ودعت لوجوب تغيير وضع المرأة ووظيفتها في المجالات العامة والخاصة لكي تتحقق لها الحرية الكاملة. (جامبل،2002. (

وفي الوقت الذي كانت تركز فيه النسوية الماركسية على الطبقة كأساس لدونية المرأة؛ ركزت النسوية الاشتراكية على العلاقات المتداخلة ما بين النظام

الطبقي الرأسمالي والخضوع المبني على الجندر أو الدونية الجندرية. ومن أهم رائداتها الاشتراكيات زيلا إيسنستين Zillah Eisenstein، في كتابها :
"Capitalist Patriarchy and the Case for Socialist Feminism " .

وإن هدف النسوية الاشتراكية هو دمج أهم الرؤى الموجودة في النسوية الماركسية والراديكالية. لذا فهي ترى أن كلا النظامين الأبوي والرأسمالي كانا السبب وراء تدني مكانة المرأة عن مكانة الرجل. وقد تحدثت عن خمس مجالات مرتبطة في وضع المرأة، وهي: الإنجابreproduction ، رعاية الأطفالchild-caring ، الاهتمام بشؤون المنزل maintenance of home، الجنسانيةsexuality ، الاستهلاك .consumption ونستطيع من خلال هذه المحاور أن نرى أمثلة مختلفة من النساء اللواتي ينتمين إلى طبقات مختلفة، لكنهن جميعا ينتمين للمكانة الجندرية نفسها. فالمرأة الفقيرة التي لا تعمل تحتل المكانة الجندرية نفسها التي تحتلها الم&أة الغنية المستقلة اقتصاديا. وكلتاهما تخضعان لقيود النظامين الأبوي والرأسمالي ذاتها. ولكن الفرق يكمن في أن المرأة المستقلة اقتصاديا ستحقق فائدة واستمتاعا أكبر عند التحرر من قيود هذين النظامين ومن الحرية في الإنجاب أيضا (Chancer & Watkins2006) .

ولم تنظر النسوية الاشتراكية إلى نشاطات النساء على أساس بيولوجي. فهي اعتبرت الإنسان/ة كائنين تاريخيين يعيدان خلق نفسيهما من خلال الممارسة. ورأت بأن العلاقة بين النوع البيولوجي والنوع الاجتماعي علاقة دياليكتيكية. وأن الفروق بين الجنسين هي فروق سيكولوجية أكثر من كونها فيزيقية، وذلك لأن جزءا من الإنسان قد تشكل اجتماعيا وهو أمر تحدده الممارسة. وإن من أبرز منظرات النسوية الاشتراكية جولييت ميتشل Juliet Mitchel وقد حاولت مع غيرها من منظرات هذه النظرية أن يوضحن كيفية بناء

الذكورة والأنوثة عند الأطفال؛ فاعتمدن على منهج التحليل النفسي مع تجنبهن للمأزق الذي افترضه فرويد بوجود طبيعة بيولوجية ثابتة عند الجنسين. والنسوية الاشتراكية تؤمن بأن البناء الجندري الذي يمثل حياة الإنسان/ة وأجسامهما وسلوكاتهما هو نتيجة للعلاقات الاجتماعية التي نشأت في مرحلة الطفولة مع الوالدين وللخبرات الاجتماعية الأخرى، وأن أي تغير على مستوى العلاقات الاجتماعية يؤدي إلى تغير في الطبيعة الإنسانية. وتؤكد ميتشل أن المرأة تعيش في كل زمان ومكان في علاقة مع قوانين الأب مهما كانت صفاتها. وغالبا ما تتشابه مكانة ووظائف النساء. ودخول المرأة في مجال عمل الرجل لا يعني بالضرورة بأنها سوف تعود إلى البيت لتتساوى معه. (العزيزي،2005. (

ومن هنا طالبت النسوية الاشتراكية بمنح النساء حرية تامة لتطوير إمكانياتهن، وبتمكينهن من تنشئة أطفالهن بشكل حر خاصة وأن المجتمع يفرض الهوية الجندرية على الأفراد منذ ولادتهن. الأمر الذي يتسبب في تقسيم الحياة إلى مجال عام يخص الذكور، ومجال خاص يخص الإناث ويعتبر امتدادا للطبيعة. ومن يتتبع المجالين يجد أن الرجل يباح له أن يفعل ما يشاء ولا يحاسب من قبل القانون، بينما تجبر المرأة على التقيد بأعمال لا تعطى تلك القيمة على الرغم من أنها تعد مصدرا للإنتاج وجزءا من اقتصاد المجتمع.

واعتبرت النسوية الاشتراكية النظامين: الأبوي البطريركي، والطبقي الرأسمالي مرتبطين معا، ويساهمان في قمع النساء، ويتسببان في تدني وضعهن، ويؤثران في العملية الإنتاجية والإنجابية والتنشئة الاجتماعية والجنسانية. وأشارت هايدي هارت مان Heidi Hartman إلى أن أسس النظام الأبوي تقوم على تقسيم العمل على أساس الجنس. وأنها موجودة في كافة المجتمعات. وفيها يسيطر النظام الأبوي على عمل المرأة وعلى دخولها مجال

العمل المنتج، ووصولها إلى المصادر التي تبقى حكرا على الرجل في$ظل هذا النظام؛ مما يتيح له فرصة السيطرة عليها داخل المنزل، وخارجه في سوق العمل. وتقوم المرأة بإعادة إنتاج هذا النظام أيضا من خلال تنشئتها لأبنائها وبناتها. وتؤمن جولييت ميتشيل فيما يتعلق بقدرة النظام الرأسمالي على تزييف الوعي الأنثوي بأن النساء أنفسهن يقمن بالمطالبة ببقائهن تابعات ومعتمدات على الرجل لأنه أفضل وأقوى من وجهة نظرهن.

ولقد اهتمت النسوية الاشتراكية بأعمال النساء في المجال الخاص. ولكنها أعطت الأولوية لعمل النساء في المجال العام، واعترضت على الأجور المنخفضة التي تتلقاها المرأة في هذا المجال مقابل أجور الرجال، واعترضت أيضا على نوعية الأعمال الموكلة للنساء والتي تكون غالبا مع الأطفال والمرضى الأمر الذي يؤدي إلى عدم تطوير مهاراتها لشغل المناصب المميزة. (ساري،1999 ؛ Ollenburger Moore, 1992)

وتؤكد هذه النظرية أن التمييز على أساس الجنس sexism يخدم النظام الرأسماليcapitalism ؛ لأن عمل المرأة داخل المنزل غير مدفوع الأجر يخدم هذا النظام. كما أن قوة العمل الاحتياطية للمرأة تحفظ في ظل النظام الرأسمالي فقط لحين الحاجة، ويضاف إلى ما سبق أن المرأة العاملة في ظل هذا النظام تأخذ أجورا قليلة مما يؤدي إلى زيادة أرباحه على حساب الطبقة العاملة خصوصا النساء العاملات بأجر وبدون أجر. فالمرأة التي تعمل داخل المنزل تكون وظيفتها الإنجاب ورعاية شؤون المنزل هي بذلك تفيد القوة العاملة وتفيد الزوج العامل في ظل النظام الرأسمالي المستغل؛ مما يبقيها معتمدة بشكل كبير على الرجل، ويجعلها تتمثل السلبية؛ لأنها تدعم الزوج الذي يمول عائلته اقتصاديا وبالتالي يحافظ على استمرار النظام الرأسمالي. واعتمادية وسلبية المرأة تجعل الرجل يبقي على سيطرته عليها بشكل تام. وعلى عكس النسوية الليبرالية فإن

هذه النظرية ترى بأن خلاص المرأة من هذا الوضع وعدم تحرير الرجال المستغلين أيضا من قبل النظام الرأسمالي يؤدي إلى وجود التمييز على أساس الجنس. ولن يكون هذا التغيير إلا من خلال الثورة الاشتراكية كما خطط لها كل من ماركس وإنجلز. وهي ثورة ستؤدي إلى القضاء على الملكية الخاصة القائمة على الاستغلال، وإلى إعادة تنظيم الاقتصاد بناء على المبادىء الجماعية collectivization التي يستفيد منها الجميع بالدرجة نفسها. ولكن هذا التغيير لكي يتحقق يجب أن يشمل الاقتصاد والعمل داخل المنزل أيضا. فهو تغيير لا يسعى إلى القضاء على العائلة وإنما لاستبدال الوظائف التي كا186ت تقوم بها العائلة والتي كانت تقع على عاتق المرأة وحدها فقط (Lindsey, 1994)) .

وإن النسوية الاشتركية لم توضح السبب الرئيسي في عدم المساواة بين الجنسين. فتحدثت عن النظام الرأسمالي الذي يضهدهما معا، وتحدثت عن الجندر، ولكنها في الحالتين لم توضح أيهما كان له التأثير الأكبر على تطور الأدوار الجندرية غير المتساوية.

النظرية النسوية الراديكالية

بدأت النظرية النسوية الراديكالية Radical Feminism Theory في أواخر عام 1960 وبداية عام 1970. عندما قامت مجموعة من النسوة بالمطالبة بحقوقهن المدنية، وبقيام حركة مناهضة للحرب. وذلك حين أدركن مدى الاضطهاد الذي يخضعن له والذي توضح من خلال المعاملة التي تلقينها من شركائهن الذكور في هذه الحركات. ومن التعامل السيء الذي تلقته النساء في مواقف معينة أهمها عدم السماح لهن بتولي أية مناصب قيادية في الحركة المناهضة للعبودية أثناء مشاركتهن فيها. وقد دفعهن كل ما سبق إلى إدراك

مدى الاضطهاد الجندري الواقع عليهن من قبل الرجال وإلى ضرورة التحرك لمناهضته وللمطالبة بحقوقهن (Lindsey,1994).

وتعزو النسوية الراديكالية وجود التمييز على أساس الجنس إلى وجود المجتمعات البطريركية بمؤسساتها التي تجسد هذا التمييز بشكل مؤسسي. وترى بأن المجتمع مكون من أجزاء مرتبطة ومتشابكة فيما بينها ويعتمد كل منها على الأخرى؛ ولذا تستحيل مهاجمة التمييز الموجود في المجتمع البطريركي بشكل تام. وهنا تختلف النسوية الراديكالية مع النسوية الليبرالية التي تطالب بالعمل من خلال النظام القائم. فاضطهاد المرأة بالنسبة إلى الراديكالية يعود إلى سيطرة الرجل المتغلغل في كافة المؤسسات في المجتمع البطريركي عليها. وهو أمر لن يتغير طالما بقيت هذه السيادة موجودة وبشكل مؤسسي. لذلك ترى النسوية الراديكالية أن على النساء القيام بتشكيل مؤسسات خاصة بهن، وقطع علاقاتهن مع الرجال. وبعدها تصبح النساء معتمدات على بعضهن البعض لا على جنس الرجال. لذلك ترى ضرورة القضاء على جميع العلاقات مع الرجال حتى العلاقة الجنسية الطبيعية السائدة في جميع المجتمعات. وتدعو لإيجاد مجتمع نسائي موحد فقط ومنفصل عن مجتمع الرجال. وترى النسوية الراديكالية أن الرجال يسيطرون على النساء في جميع مجالات الحياة، وأن العلاقة بين الجنسين تقوم على أساس هيمنة الرجال على النساء، الأمر الذي يبرر وجود سائر أنواع القمع الموجه ضد النساء والذي يتغير عبر الزمن وفي مختلف الثقافات.

- لقد تأثرت النسوية الراديكالية بداية بمبدأ الفردانية الليبرالي الذي يؤكد بأن الإنسان/ة يمتلكان الحرية في اختيار الدور الجندري. وهو مبدأ يرفض فكرة أن المجتمع يشكل الفرد، لأن الإنسان/ة ممكن أن ينسحبا من المجتمع أو يرفضا الهوية المفروضة عليهما. ويختارا بنفسيهما الهوية الجندرية والأدوارالجندرية

التي تناسبهما. وأجمعت النسوية الراديكالية على أن مشكلات النساء ترتبط جميعها بطبيعة جنسهن .
(England,1993).

لقد طرحت النظرية الراديكالية العديد من المشكلات الناتجة عن هيمنة الرجل على المرأة اجتماعيا مثل: مشكلة التحرش الجنسي، التمييز في العمل، البرود الجنسي لدى المرأة. وفسرن ذلك بناء على التمييز بين الذكور والإناث في جميع مجالات الحياة سواء في المأكل أم الملبس أم النشاطات التي يمارسها الجنسان في علاقتهما الاجتماعية. فالنسوية الراديكالية ترفض وجود صفات وأدوار تقوم على أساس الجنس. ومن منظرات الراديكالية شولاميث فايرستون Shulamith Firestone، التي نبهت إلى أن عدم المساواة بين الجنسين لا يعود إلى الفروق البيولوجية وإنما إلى الأدوار المتعلقة بالإنجاب التي أدت إلى تقسيم العمل بينهما، وإلى وجود التمييز القائم على أساس الجنس. ومن هنا دعت فايرستون إلى ضرورة قيام ثورة بيولوجية تلغي الفروق بين الجنسين وتلغي الأدوار الجندرية.
(العزيزي،2005؛جامبل،2002 .(

وترفض بعض منظرات النسوية الراديكالية مثل ماري دالي Mary Daly قسمة المجتمع البطريركي للإنسانية إلى قطبين: قطب يمثل الأنا أي الرجل، وقطب يمثل الآخر أي المرأة. ورأت أن الطريقة الوحيدة للتخلص من ذلك تكمن في تدمير هذا الفصل الجندري القائم على أساس الجنس. وتعتقد دالي أن سيادة الذكر على الأنثى وقمعه لها يعود إلى النظام البطريركي الذي شكل سمات وأدوار الأنوثة، وسمات وأدوار الذكورة. ونتيجة لما سبق شجعت دالي جميع النساء على رفض جميع الصفات الأنثوية كالضعف، وإلى التمسك بصفات القوة التي يدعيها الرجال. فالقضاء على النظام الأبوي المتغلغل في كافة أنساق البناء الاجتماعي من وجهة نظرها هو السبيل الوحيد لتحرير المرأة .
(Ollenburger & Moore,1992) .

وإن لدى النسوية الراديكالية إيمان بأن الرجال هم المسؤولين عن استغلال النساء لأنهم ينتفعون من ذلك من خلال النظام الأبوي patriarchy system الذي يسود فيه الرجال على النساء. وتركز الراديكالية على العائلة كمصدر أساسي وأولي لاضطها= المرأة؛ لأن الرجال يعتمدون على النساء من خلال العمل المنزلي الذي تقوم به النساء. لذلك تعتقد النسوية الراديكالية أن العدالة الجندرية لن تتحقق إلا من خلال القضاء على النظام الأبوي. ويعود أصل ظهورهذا النظام الأبوي من وجهة نظرها إلى تملك الرجال للقوة الكبيرة، والانتفاع من ضعف النساء أثناء فترة الحمل والإنجاب والرضاعة. وبعضهم يرى أن استعداد الرجال لاغتصاب النساء يمكنهم من السيطرة على النساء. وهناك من يرى بأن اكتشاف الرجل لقدرته ودوره الهام في عملية الإنجاب هو الذي قاد الرجال للسيطرة على النساء. أما القسم الآخر فيرون أن النظام الأبوي ظهر وتطور منذ أن اكتشف الرجال نظام الصيد وطوروه مما أعطاهم مصدرا جديدا للقوة لتطوير نظام من القيم مبني على العنف وعلى الإخضاع.(Bryson,1992) .

ومن النسويات البارزات في النسوية الراديكالية كايت ميليت Kate Millett's في كتابها "Sexual Politics" ، وشولاميث فايرستون Shulamith Firestone's في كتابها
"The Dialectic of Sex." وقد ركزت كلتاهما على النظام الأبوي باعتباره قانون الأب. ورأته ميليت يفرض سيادة للذكر في جميع المؤسسات مثلما هو سائد تماما في كافة الأنماط الثقافية. وفيه يحتل الرجل كافة مواقع القوة في المجتمعات التي يسود فيها النظام الأبوي من الاقتصاد، المؤسسات، التكنولوجيا والعلوم، الحكومة، والبيت. فعلى الرغم من التغير الذي حدث في المجتمعات كافة ومن دخول المرأة إلى هذه الميادين إلا أن مؤشر الجندر ما زال متفاوتا بشكل كبير. وقد اشتهرت النسوية الراديكالية من خلال كتاب ميليت sexual politics الذي أكدت فيه أن الخاص هو سياسي

"The Personal is Politics" . فميليت وغيرها من النسويات الراديكاليات رأيت بأن السياسة، وعلاقات القوة التي تندرج في إطارها ليست محصورة فقط في المجال العام أي مجال الذكور- من العمل والحكومة والسياسة وغيرها- وإنما تظهر أيضا في الحياة اليومية حتى في المجال الخاص- مجال المرأة - وفي العائلة النووية. وضربت تشانسر و واتكنز بعلاقة الرئيس الأمريكي السابق بيل كلينتون بمونيكا لوينسكي مثالا على التحرش الجنسي في مكان العمل.

(Chancer & Watkins2006) .

ولقد اعتبرت النسوية الراديكالية أن السيطرة على جسم المرأة فيما يتعلق بالحمل والإنجاب والعلاقات الجنسية هو السبب في الخضوع الجندري gender subordination. فالخضوع والتمييز المبني على الجندر هو الأساس. وإذا تم التخلص منه فإن أي تمييز أو إخضاع للمرأة سواء كان مبنيا على اللون أم على العرق أو الطبقة أو أي شيء آخر سينتهي .

وقد ظهرت النسوية الراديكالية كتحد للنسوية الليبرالية لتعلن أن كلا من مفهومي الجنس والجندر مبنيان تاريخيا واجتماعيا على سيادة الرجل على المرأة. وهذا ليس بالصدفة وإنما مخطط له من خلال التنظيمات الاجتماعية السائدة في المجتمع والتي تبرر خضوع المرأة للرجل. وتنتقد الراديكالية وسائل الضبط الاجتماعي السائدة في المجتمع لأن قيودها القانونية الضعيفة التي تتيح للرجل أن يفعل ما يريد من اغتصاب وعنف ممارس ضد المرأة وغير ذلك .

(Lorber, 1994) .

إن النظام الأبوي الذي طرحته الراديكالية نظام يصعب طرح استراتيجية للقضاء عليه؛ لأنه يميل إلى الوصف أكثر من التحليل ويعجز عن تفسير أصل تملك الرجال للقوة من جهة، ولأن رواد ورائدات النظرية النسوية الراديكالية

عجزوا عن الاتفاق على أصل ظهوره من جهة أخرى. ولا بد من التنويه هنا إلى أن نظرة الراديكالية إلى الرجال باعتبارهم أعداء، دفعتها إلى توجيه النساء للتعامل في كافة الأمور مع النساء فقط، وهو أمر يؤدي إلى وجود المثلية الجنسية بين النساء. بالإضافة إلى عجز تعميم أفكار الراديكالية النسوية المطروحة عن النساء على جميع جنس النساء لأن هناك فروق فردية واحتياجات مختلفة بينهن. هذا وقد أظهرت النسوية الراديكالية النساء بصورة الضحايا السلبيات على مر العصور، والرجال بصورة صانعي التاريخ بكل ما فيه.

الخلاصة

لقد عالجت جميع الاتجاهات النظرية التي وردت في الفصل الرابع تطور مفهوم الجندر، وتفسير التمييز الجندري بين الجنسين من زاويا مختلفة. ففي حين ركزت النظريات البيولوجية على أن الفروق العضوية والهرمونية والبيولوجية بين الجنسين ولدت استعدادات مختلفة قابلة للنمو أو الكبت بتأثير من الخبرة المكتسبة من البيئة المحيطة ومن خلال الممارسة، ركزت النظريات النفسية على أن الطفل/ة يحدد كلا منهما هويتهما الجندرية بالتعارض مع الجنس الآخر. ولكن يجب أن لا ننكر وجود تفاعل مستمر بين البيولجيا والعوامل النفسية والاجتماعية ولا نستطيع أن نقلل من أهمية أي منهما ، ومن مدى توافر الظروف التي تساهم في تطوير الهوية الجندرية لدى الجنسين. أما النظريات الاجتماعية فصبت جام تركيزها على دور الظروف المحيطة والأشخاص وعملية التنشة الاجتماعية بمؤسساتها المختلفة في تطوير مفهوم الجندر، واختلاف الأدوار والمكانة بين الجنسيين.

كما لاحظنا فإن كلا من النسوية الراديكالية والماركسية والتحليل النفسي تشترك في مفهوم مركزي وهو "النظام الأبوي"، وإن كانت تتناوله كل منها بطريقة مختلفة. فالنسوية الراديكالية ترى بأن النظام الأبوي يتيح للرجال السيطرة على النساء من خلال العنف، والسيطرة على أجسامهن من خلال الإنجاب. أما النسوية الماركسية فترى النظام الأبوي من خلال سيطرة الرجال على زوجاتهن الذي يتماشى مع استغلالهن كعاملات أيضا في النظام الرأسمالي. وفي حين يبرز التحليل النفسي الذي يرى بأن النظام الأبوي يعني قانونا رمزيا للأب من خلال التقسيم الجنساني الجندري واللاوعي. أما النسوية الليبرالية التي تعتبر من أكثر النظريات النسوية اعتدالا وقابليتها للتطبيق فقد رفضت ظلم النظام الأبوي المتغلغل في كافة أنساق البناء الاجتماعي. ورغم

ذلك رأت بأننا نستطيع القضاء على التمييز الحاصل ضد المرأة وتهميشها من خلال العمل مع النظام القائم. وهذا ما أعطاها واقعيتها. فالليبرالية لم تنتظر ثورة ولم تطالب بمطالب يصعب تحقيقها أو تبدو غير متوافقة مع الثقافة السائدة، وإنما وضعت استراتيجية قصيرة المدى وقابلة للتحقق من خلال تركيزها على التعليم وتعديل القوانين والتشريعات.

إن جميع الاتجاهات النظرية وإن اختلفت في كيفية تناولها لمفهوم الجندر فقد اشتركت في حقيقة أساسية مفادها مركزية الرجل في المجتمعات الأبوية، ودونية المرأة وتهميشها. انطلاقا من الفروق البيولوجية بين الجنسين التي تم استغلالها وتضخيمها حتى أصبحت هذه الفروق الأساس المعتمد للفروق الجندرية، وللتمييز بين الجنسين، ولحرمان المرأة من حقوقها، ومن ممارسة دورها الإنتاجي. فبقي الدور الإنجابي والدور التقليدي حكرا على المرأة حتى الآن، بينما بقي الرجل متربعا في مواقع صنع القرار رافضا شراكتها.

وعلى الرغم من الاختلاف في جهات النظر في الاتجاهات النظرية، وتفاوت كل منها في طريقة المعالجة إلا أننا لا نستطيع التقليل من أهمية أي منها؛ لأن جميع النظريات قدمت توليفة متكاملة وعالجت التمييز الجندري من زوايا مختلفة، فالاختلاف يحقق التكامل والتكميل.

الفصل الخامس5
التدريب على مفهوم الجندر

- مقدمة
- أهمية مأسسة مفهوم الجندر وبشكل خاص في مؤسسة التعليم
- تمرين رقم (1) : مقياس التفريق بين مفهوم الجندر ومفهوم الجنس
- تمرين رقم (2) : مقياس الصفات الجندرية
- تمرين رقم (3) : مقياس المهن الجندرية
- تمرين رقم (4) : مقياس الاتجاهات الجندرية
- تمرين رقم (5) : مقياس السلوك الجندري
- تمرين رقم (6) : مقياس المهارات الجندرية

مقدمة

عرضنا في الفصول السابقة الجانب النظري لمفهوم الجندر، وسنعرض في هذا الفصل الجانب العملي حتى نستطيع تشكيل إطار شامل للمفهوم نظريا وعمليا. ويشمل هذا الفصل على مجموعة من التمارين التطبيقية التي يتم استخدامها من قبل المدربين والمدربات في هذا الحقل كمقياس قبلي لمعرفة مدى وضوح المفهوم لدى المتدربين والمتدربات، ومعرفة الاحتياجات التدريبية لهم/هن. ويمكن استخدامها كمقياس بعدي أيضا لتقييم التدريب ومساهمته في توضيح المفهوم وقدرة المشاركين والمشاركات على استخدام وتطبيق المفهوم في جميع مناحي الحياة.

وقد تم اقتباس هذه التمارين من دراسة حديثة تم تطبيقها على شريحة المعلمين والمعلمات في المجتمع الأردني**، ونستطيع استخدامها على كافة الشرائح. وقامت الباحثة باقتباس بعض من هذه التمارين من العديد من الدراسات المختصة في هذا المجال، وتم التعديل عليها بما يخدم متطلبات المجتمع العربي. وأظهرت نتائج هذه الدراسة أن التصورات الجندرية للمعلمين والمعلمات كانت غير تقليدية

**للمزيد انظر/ي:

حوسو، عصمت، (2007)."تصورات المعلم/المعلمة حول مفهوم (النوع الاجتماعي) الجندر وأبعاده في محافظة العاصمة". رسالة دكتوراة غير منشورة، الجامعة الأردنية،عمان،الأردن

بالدرجة الأولى حيث بلغت نسبتهم/هن 64.2%، ثم متوازنة جندريا بالدرجة الثانية فبلغت 21.4%، وأخيرا تقليدية وبلغت 14.4%. وكانت هذه التصورات الجندرية غير التقليدية لصالح المعلمات والقطاع الخاص والمدارس المختلطة.

ولكن يجدر بنا قبل أن نعرض لهذه التدريبات أن ننوه لأهمية إدراج وتطبيق مفهوم الجندر على مستوى مؤسسي خصوصا في مؤسسة التعليم .

أهمية مأسسة مفهوم الجندر وبشكل خاص في مؤسسة التعليم

تبرز أهمية الوعي بمفهوم الجندر من قدرته على تحديد المشكلات المرتبطة باختلاف الأدوار المحددة ثقافيا واجتماعيا للجنسين, ومن محاولته تحليل الأسباب، وتقييم الاختلافات في مكانة كل من الرجل والمرأة؛ لأن إهمال مثل هذه الحقيقة المتمثلة في اختلاف الأدوار الجندرية وما يرتبط بها من مسؤوليات مترتبة على الجنسين تؤدي إلى عدم إدراك السياسات والتشريعات وكافة المشاريع التي تؤدي إلى تأثيرات مختلفة على كل من الرجل والمرأة. فهناك ضرورة للوعي الجماعي والإدراك المشترك للرجال والنساء على حد سواء لأهمية الوعي بحقوقهم/هن وبالمشاكل التي تواجههم/هن وبوجود التمايز ضد النساء, ومناقشة ذلك بصورة جماعية تمكن من تحليل الأسباب التي قادت لوجود هذا التمايز وتسليط الأضواء عليها وإيجاد حلول لها. لذلك تبرز أهمية الوعي بالمفهوم ودراسة العلاقات الجندرية وسماتها وأبعادها؛ لأن ذلك سيساعد على إيجاد وسائل التغيير نحو المساواة، وحياة أفضل للجميع، كما يساهم في الحصول على آفاق جديدة من المعرفة مبنية على المشاركة بين النساء والرجال. ويزودنا المفهوم بآليات يمكن تبنيها واستعمالها في قضايا متعددة. عند ذلك يصبح التعامل مع الجندر والعمل من أجل المساواة شيئا اعتياديا في أعمالنا وحياتنا اليومية والمستقبلية. حيث تتم مراجعة الأعمال، ورصدها، وتقييمها لمعرفة النتائج والاحتياجات على أساسها. وعندئذ سيلقى الجندر استجابة من الناس الذين نعمل معهم/هن. فمفهوم الجندر وإدماجه في كافة المؤسسات هام جدا حيث لا يخلو موضوع من أبعاد جندرية .

ويلعب التعليم دورا أساسيا في تغيير نمط البناء الاجتماعي. ويعتبر من أساسيات العصر الحديث، وضرورة من ضروريات التغير الاجتماعي وتنمية

الوطن العربي. وهو من أبرز العوامل للنهوض بالمرأة وتنمية قدراتها؛ لأنه يعمق الوعي بمشكلات المجتمع، ويكون للمرأة المتعلمة حضورا في الفضاء العام وفي مواقع العمل المختلفة ويتيح لها المشاركة في الحياة العامة. ونقصد بالتعليم هنا ليس فقط المعرفة التي تمكن المرأة من إدراك وفهم ما يدور حولها، وإنما التعليم الذي يعطيها القدرة على تحويل المبادىء النظرية إلى آليات عملية لتغيير واقعها.

وإن أهم ما يميز المدرسة كمؤسسة من مؤسسات التنشئة الاجتماعية الأخرى هو أنها تقوم بالتنشئة من حيث التربية والتعليم وتختص بهما فقط. فالأسرة مثلا تقوم بوظائف اقتصادية وبيولوجية ووظائف أخرى متعددة، بينما المدرسة تختص بتربية الأجيال تربويا وأكاديميا، وتحول الثقافة السائدة في المجتمع إلى رموز، وتنقلها للأجيال اللاحقة. فالمدرسة عندما تباشر دورها في عملية التنشئة الاجتماعية، فإنها لا تباشره في أطفال على مبدأ الصفحات البيضاء، فالأطفال يحملون قيما وأفكارا ولهم/هن شخصيات محددة تكون نتاج التأثيرات الأسرية السابقة للحياة المدرسية. وفي كل علاقة بين المدرسة والأسرة توجد صيغة علاقة ثلاثية بين أنظمة ثلاثة هي: النظام الأسري بكل مكوناته، النظام المدرسي بكل فعالياته، النظام الشخصي للطفل/ة بكل وضعياته النفسية والمعرفية. (وطفة،2004. (

وإن رعاية الطفل/ة في نسق التعاون بين المدرسة والأسرة تحتاج إلى نمو تاريخي كبير في مستوى الوعي الاجتماعي والتربوي بالنسبة إلى الآباء والأمهات، والمعلمين والمعلمات؛ وذلك لبناء الإنسان/ة المتسم/ة بالحرية، التكامل، والقدرة على بناء الحضارة الإنسانية .

وإن إحدى الوظائف الأساسية للمدرسة هي إنتاج النظام الاجتماعي وإعادة إنتاجه، والتعاون مع المؤسسات الاجتماعية الأخرى في إنتاج المجتمع على

صورته القائمة. لذا يؤكد بعض العلماء بأن التعلم العفوي أكثر ميلا إلى البقاء والاستمرارية من التعلم المقصود؛ لأن التعلم العرضي يكون قوي التأثير في الناشئة، وينمي فيهم/هن المعتقدات والأفكار والاتجاهات والميول والعادات بصورة غير مباشرة وبفعالية تفوق أحيانا التربية النظامية المقصودة. (وطفة،2004).

والقالب غير المعلن والمتضمن في المناهج هو أن الأنثى تقوم بأعمال التغذية بينما يقوم الذكر يقوم بالأعمال الفكرية. فالتنميط الجنسي في جميع المؤسسات وفي داخل المدرسة تحديدا يكون قويا كلما كان حجم الأفعال الحصرية على أساس الجنس كبيرا، وكلما كان الفرق في التنميط الجنسي كبيرا؛ وذلك يتحقق من خلال إسناد المجموعة نفسها من الأفعال إلى فاعل/ة من جنس معين بالمقارنة مع فاعل/ة من الجنس آخر، وهو أمر يوجد في الأنظمة التعليمية التي تخدم مجتمعات أو جماعات ثقافتها أكثر تقليدية. أما في الثقافات غير التقليدية فتصبح الأفعال الحيادية أو المتوازنة جندريا أكبر، وتختفي فيها الأفعال الحصرية بجنس معين، ويصبح الفارق محدود بين الفاعلة الأنثى والفاعل الذكر في ممارسة مجموعة معينة من الأفعال وتنخفض قوة التنميط الجنسي في أنظمة التعليم، وفي المناهج في المجتمعات التي تشهد تغيرات ثقافية وتربوية .

وللمعرفة العلمية أهمية كبيرة في إعادة إنتاج البنى الاجتماعية التي تتميز بالفوارق الكبيرة بين الجنسين وبعدم المساواة. لذلك يجب علينا تربية الفكر بالمعرفة، وتقوية العقل بالممارسة، وإلباس العاطفة لباس الوعي القائم على مواجهة الأمور بطريقة موضوعية. وذلك من خلال منهج تربوي علمي متوازن. فالتغير التربوي Educational Change يحدث تلبية للتغير الاجتماعي Social Change كما أشار كل من ابن خلدون ودوركهايم، فالتربية تتغير بتغير الزمان والمكان والثقافة. وهذا يؤدي بدوره إلى تطور التعليم عبر التاريخ حيث

يوجد -بشكل عام- عدم مساواة في الفرص التعليمية بين الذكور والإناث من حيث تحديد مجال التعليم ونوعيته. فعلى الرغم من أن الفتاة بإمكانها الدخول إلى التعليم العالي المتوسط والجامعي إلا أنه غالبا ما يتعين عليها أن تتجه إلى الدراسة في كليات تؤهلها إلى مهام لا تتناقض والاتجاهات الاجتماعية السائدة كالكليات الأدبية والتربوية والطبية مثلا؛ وذلك للتوفيق بين ما يفرضه الواقع الجديد وما يمكن قبوله في نظام القيم والمفاهيم. (سليم،1999).

ويتم توجيه الإناث خصوصا نحو التخصصات الإنسانية للابتعاد عن مهن معينة مثل مضيفة طيران. ويبدأ الأهل ثم المدرسة سواء من قبل المعلم/ة أو من خلال المناهج بتوجيه الإناث بعيدا عن هذه المهنة خلال التفاعلات اليومية في سن مبكرة. ويتم توجيههن نحو العمل في التدريس وفي مدارس الإناث، أو في الوظائف الحكومية المختلفة.

وعلى الرغم من التغير الاجتماعي الذي رافق الثورة العلمية المعرفية التكنولوجية، وثورة الاتصال التي أفرزتها العولمة إلا أن أبواب المدارس فتحت في وجه المرأة، بينما بقيت أبواب الثقافة والحياة موصدة لم تفتح بعد. وبقيت حياة المرأة الاجتماعية لتطابق وتماثل حياتها الأسرية. فإذا بالمرأة تخدم أسرتها في البيت وتعمل في المجتمع في قطاع الخدمات كالتمريض والتعليم والسكرتاريا وبقيت بعيدة عن العمل الذي يؤهلها لاتخاذ القرارات الاجتماعية. ومن هنا نجد أن النسق القيمي والثقافي بما يحتويه من قواعد وثوابت سلوكية لم يعد يتماشى مع التطورات الاجتماعية، فهو يشد المرأة إلى الوراء ويجعلها تتخلف عن ركب الحضارة (عرابي،1999). ونتيجة لما سبق نجد أن المرأة العربية ما زالت تفتقر إلى الثقة بنفسها، لأنها عاشت تابعة منذ قرون عدة. ولم تكن تقوم بالعمل المنتج سواء في البيت أم في المجتمع، فهي ظلت بعيدة عن صنع القرار. وتأتي هنا أهمية ومسؤولية المؤسسات العامة والخاصة على حد سواء في

تأكيد شخصية المرأة، وإحساسها بالثقة، والقدرة على العمل والإنتاج والعطاء، وتحريرها من الخوف، وتعليمها كيف تفكر تفكيرا علميا، وكيف تختار وتشارك في الحياة العامة وفي صنع القرارات التي تهم مجتمعها .

وتشير أغلب الدراسات التربوية إلى أن المعلم/ة من أكثر عناصر العملية التعليمية وأكثر العوامل المدرسية تأثيرا على سلوك الأطفال، فهما أكثر تأثيرا من المناهج نفسها ومن الأدوات والوسائل التعليمية وكافة مكونات البيئة المادية للمدرسة. فكل من المعلم/ة يمتلكان القدرة على إثراء المناهج بما يتناسب وحاجات المجتمع وحاجات الطلبة، وعلى استغلال المرافق والأدوات المختلفة وجعلها أكثر ملاءمة لحاجات الذكور والإناث. والمعلم/ة هما الأداة لنقل التراث الثقافي والاجتماعي للأطفال. الذين يصبحون/حن فيما بعد أداة لإغناء هذا التراث وتجديده (المومني،1993). لذا يجب على المعلم/ة أن يكونا روادا في التجديد التربوي من حيث البرامج والأساليب والوسائل حتى يستطيعا المحافظة على زمام التربية والتعليم . ويجب على المعلمين/ات أن يتقنوا/قن استعمال وسائل الإعلام الحديثة ليستطيعوا/عن مساعدة الطلاب/ات في الحفاظ على الثقافة. كما يجب عليهم/هن تعلم كيفية استخدام كافة الأجهزة التكنولوجية الحديثة، وضرورة تعديل برامج التعليم بما يتفق وهذه الغاية التربوية؛ لأن الثقافة الآن أصبحت تتمثل في كيفية استخدام بنوك المعلومات وكيفية توظيف هذه المعلومات لصالح الطلبة. وتجديد هذه الثقافة بما هو جديد باستمرار انطلاقا من البعد الجندري في جميع الوسائل التعليمية (نشابة،1993) أمر ضروري. وليس المطلوب من المعلمات والمعلمين معاملة الطلاب والطالبات بشكل عادل ومتساو فقط، وإنما المطلوب منهن/هم أن يتجاوزن/وا تصوراتهن/هم التي بنيت خلال عملية التنشئة الاجتماعية التي تعرضن/وا لها في كيفية التعامل مع الجنسين. فإذا استطعنا أن نوجد معلمين ومعلمات

متوازنين ومتوازنات جندريا أثناء عملية التعليم؛ فإن التغيير سيحدث لصالح الجنسين والمجتمع ككل. وبدون وجود البيئة المحيطة المساعدة كالمناهج، والبيئة المادية التعليمية، ووسائل الإعلام، وتعاون الأهل، وكافة مؤسسات التنشئة الاجتماعية فإن التوازن الجندري من قبل المعلم/ة لن يحقق تأثيره بالشكل المطلوب.

وفيما يتعلق بالتأثير الكبير للمعلم/ة على تطور مفهوم الجندر لدى الطلاب والطالبات تحدث بارسونز في هذا الإطار عن التماهي . Identification فالمعلم/ة يصبحان فيما بعد الأب أو الأم البالغان الجدد اللذان يتمتعان بسلطة تشبه سلطة الأبوين وتحل محلهما وذلك في الوقت الذي يمضيه الأطفال في المدرسة. فالطفل/ة يستنبطان بواسطة عملية التماهي شخصية البالغ/ة اللذان يقومان بتقليدهما. فيكتسبان بواسطتها دور البالغ/ة من الجنس الذي ينتميان إليه. فيسقط التلاميذ مشاعرهم/هن على المعلمة الأنثى، وذلك إما تماهيا معها من قبل التلميذات الإناث أو سعيا لإرضائها من قبل التلاميذ الذكور. وتتبدل الأدوار إذا كان المعلم ذكرا. وفي كلتا الحالتين يتشوق التلاميذ/ات إلى استجابة من المعلم/ة تتناسب وتوقعاتهم/هن منه/منها ويكتسبون/سبن من خلال هذه الاستجابة الأخلاق والسلوك والمعرفة. وقد يحصلون/صلن على الجزاء إما إيجابيا أو سلبيا بناء على السلوك. (الأمين،2005).

ونحن بحاجة الآن في جميع مؤسساتنا وفي نظام التعليم بشكل خاص إلى استراتيجية تعمل على حل المعادلة الدقيقة والصعبة التي تساوي بين الجنسين، وتسعى لاحترام كل منهما لقدرات الآخر/ى، ولإبراز الاختلافات سعيا وراء تحقيق التكامل بينهما. فالصراع الذي يحدث بين الجنسين ليس ناجما عن كونهما جنسين مختلفين بيولوجيا، وإنما يعود إلى إتاحة الفرصة للجنسين بشكل متساو للوصول إلى الهدف المشترك، وإلى تقليص المجالات

الخاصة لكل جنس، والاعتماد على التشابك بينهما. وعلى أن تكون الاختلافات البيولوجية بين الجنسين قاعدة للتكميل والتكامل وليس قاعدة للتمييز بينهما. عندئذ فقط يستطيع كلاهما فهم وإدراك مفهوم المساواة القائم على التكامل رغم التنوع والاختلاف في القدرات والمواهب. ويجب أن يكون ذلك جزءا من المنظومة القيمية كضمان للاستمرار، وحتى يتمكن الضمير الجماعي من تمثله. كما يجب وضع آليات لتغيير العقليات والقيم السائدة في الوطن العربي من تقليدية إلى عقلانية تفتح المجال للإبداع والابتكار للجنسين؛ وذلك ليستطيع المجتمع مواكبة الحداثة. ومواكبة المجتمع القائم على اقتصاد المعرفة باعتباره يتطلب قدرات الجنسين مما يساهم في إزالة الحواجز بينهما. فالمرأة نصف المجتمع وتمتلك الكثير من الطاقة والكفاءة. وإذا وجهت قدراتها وإمكانياتها الذهنية والفكرية لخدمة التعليم والبحث العلمي أضافت إليه رصيدا كبيرا. أما إذا ابتعدت عن هذا الميدان فستتسبب في خسارة ونقص في مؤسسة التعليم (الصفار،2003؛ الرحموني،2002) . وكذلك الأمر في باقي المؤسسات، فإن مساهمة المرأة في المجال العام يعني المشاركة لنصف المجتمع المعطل بشكل فعال في قوة العمل وزيادة الدخل القومي. فكلا الجنسين شريكان فاعلان في عمليات التنمية المستدامة، وفي تطوير المجتمع.

تمرين رقم (1)

مقياس التفريق بين مفهوم الجندر ومفهوم الجنس

	العبارة	المفهوم
1	تلد النساء الأطفال، ولا يفعل الرجال ذلك	الجنس
2	تلبس البنت اللون الزهري، ويلبس الولد اللون الأزرق	الجندر
3	تحيض المرأة، ولا يحيض الرجل	الجنس
4	تتغير أصوات الرجال عند سن البلوغ، ولا يحصل ذلك للنساء	الجنس
5	ترضع النساء أطفالهن من أثدائهن	الجنس
6	في عهد الفراعنة كان الرجال المصريون القدماء يجلسون في المنزل،ويعملون في الحياكة.أما النساء فكن يشتغلن في أعمال العائلة التجارية.وكانت النساء ترث الأملاك ولا يرثها الرجال	الجندر
7	يستطيع الرجال إرضاع الأطفال باستعمال زجاجة الحليب	الجندر
8	يوجد المبيضين في جسم المرأة، ولا يوجدان في جسم الرجل	الجنس
9	نجلب هدايا الدمى للإناث، ونجلب الكرة للذكور	الجندر

يظهر التمرين رقم (1) مجموعة من العبارات يشير بعضها إلى مفهوم الجندر(النوع الاجتماعي). أو إلى مفهوم الجنس (النوع البيولوجي). تعطى العبارات فقط للمستجوب/ة .

يهدف هذا التمرين لمعرفة مدى وضوح مفهوم الجندر لدى المستجوب/ة والقدرة على التمييز بينه وبين مفهوم الجنس.

وبناء على التكرار، والنسبة المئوية لإجابات الأفراد نستطيع أن نحدد مدى وضوح المفهوم. ثم يتم تحديد التدريبات الملائمة لاحتياجات المتدربين والمتدربات لاستخدام وتطبيق مفهوم الجندر.

تمرين رقم (2)
مقياس الصفات الجندرية

	الصفة الجندرية	المرأة	الرجل	الاثنان معا
1	العقلانية	غير تقليدي/ة	تقليدي/ة	متوازن/ة جندري
2	العدوانية	غير تقليدي/ة	تقليدي/ة	متوازن/ة جندري
3	العاطفة	تقليدي/ة	غير تقليدي/ة	متوازن/ة جندري
4	الإبداع	غير تقليدي/ة	تقليدي/ة	متوازن/ة جندري
5	الاهتمام بالمواضيع العلمية	غير تقليدي/ة	تقليدي/ة	متوازن/ة جندري
6	السطحية	تقليدي/ة	غير تقليدي/ة	متوازن/ة جندري
7	الاهتمام بالروابط العائلية	تقليدي/ة	غير تقليدي/ة	متوازن/ة جندري
8	الخجل	تقليدي/ة	غير تقليدي/ة	متوازن/ة جندري
9	الغيبة	تقليدي/ة	غير تقليدي/ة	متوازن/ة جندري
10	الثقة بالنفس	غير تقليدي/ة	تقليدي/ة	متوازن/ة جندري
11	حب السيطرة	غير تقليدي/ة	تقليدي/ة	متوازن/ة جندري
12	اللباقة	تقليدي/ة	غير تقليدي/ة	متوازن/ة جندري
13	الطموح	غير تقليدي/ة	تقليدي/ة	متوازن/ة جندري
14	تحمل المسؤولية	غير تقليدي/ة	تقليدي/ة	متوازن/ة جندري
15	الغيرة	تقليدي/ة	غير تقليدي/ة	متوازن/ة جندري
16	المرح والفكاهة	تقليدي/ة	غير تقليدي/ة	متوازن/ة جندري
17	الاستفزاز	تقليدي/ة	غير تقليدي/ة	متوازن/ة جندري

18	التنازل في مواقف الصراع	تقليدي/ة	غير تقليدي/ة	متوازن/ة جندري
19	الاتكالية	تقليدي/ة	غير تقليدي/ة	متوازن/ة جندري
20	سرعة البكاء	تقليدي/ة	غير تقليدي/ة	متوازن/ة جندري
21	الروية وضبط النفس	غير تقليدي/ة	تقليدي/ة	متوازن/ة جندري
22	التردد	تقليدي/ة	غير تقليدي/ة	متوازن/ة جندري
23	الاهتمام بالرياضة	تقليدي/ة	غير تقليدي/ة	متوازن/ة جندري
24	الاهتمام بالسياسة	غير تقليدي/ة	تقليدي/ة	متوازن/ة جندري
25	بعد النظر	غير تقليدي/ة	تقليدي/ة	متوازن/ة جندري
26	العصبية	غير تقليدي/ة	تقليدي	متوازن/ة جندري

يظهر التمرين رقم (2) مجموعة من الصفات المنمطة اجتماعيا وثقافيا. بعضها للرجل وبعضها للمرأة أو للإثنين معا. يعطى هذا التمرين بالصفات فقط للمتدربين/ات، للإجابة عليه حيث تترك الحرية للمستجوب/ة لتعبئة المقياس في العمود المناسب الذي يعكس التصورات الجندرية لديهم/هن. ومن خلال الإجابة يتم تصنيفهم/هن فيما إذا كان تفكير أي منهم/هن تقليديا/ة، غير تقليدي/ة، متوازنا/ة جندريا. وذلك حسب المتوسط الحسابي لمجموع الإجابات حيث يأخذ التقليدي/ة وزن (1)، أما غير التقليدي/ة فيأخذ وزن (2). في حين يأخذ المتوازن/ة جندري وزن (3.(

وأخيرا يتم تقسيم المتوسطات الحسابية لإجابات الأفراد إلى الفئات التالية:-

1 .(1-1.74) : تقليدي/ة
2 . (1.75-2.24) غير تقليدي/ة
3 . (2.25-3) متوازن/ة جندري

تمرين رقم (3)

مقياس المهن الجندرية

	الصفة الجندرية	**المرأة**	الرجل	الاثنان معا
1	التدريس	تقليدي/ة	غير تقليدي/ة	متوازن/ة جندري
2	صحفي/ة	غير تقليدي/ة	تقليدي/ة	متوازن/ة جندري
3	مهن الدفاع(كالجيش والدفاع المدني...)	غير تقليدي/ة	تقليدي/ة	متوازن/ة جندري
4	تقلد منصب وزاري	غير تقليدي/ة	تقليدي/ة	متوازن/ة جندري
5	الإخراج التلفزيوني أو الإذاعي	غير تقليدي/ة	تقليدي/ة	متوازن/ة جندري
6	الإدارة (شركات، مصانع، أفراد،مدارس)	غير تقليدي/ة	تقليدي/ة	متوازن/ة جندري
7	التمريض	تقليدي/ة	غير تقليدي/ة	متوازن/ة جندري
8	تقديم برامج تلفزيونية أو إذاعية	تقليدي/ة	غير تقليدي/ة	متوازن/ة جندري
9	الزراعة	غير تقليدي/ة	تقليدي/ة	متوازن/ة جندري
10	السكرتاريا	تقليدي/ة	غير تقليدي/ة	متوازن/ة جندري
11	الشرطة(المرور،البحث الجنائي...)	غير تقليدي/ة	تقليدي/ة	متوازن/ة جندري
12	كابتن/ةِ طيران	غير تقليدي/ة	تقليدي/ة	متوازن/ة جندري

	العمل في المخابرات العامة	غير تقليدي/ة	تقليدي/ة	متوازن/ة جندري
	سائق/ة التاكسي	غير تقليدي/ة	تقليدي/ة	متوازن/ة جندري
	قاضي/ة	غير تقليدي/ة	تقليدي/ة	متوازن/ة جندري
	ميكانيك سيارات	غير تقليدي/ة	تقليدي/ة	متوازن/ة جندري
	مقاولات (بيع ، شراء ، بناء،تأجير)	غير تقليدي/ة	تقليدي/ة	متوازن/ة جندري
	سفير/ة الدولة	غير تقليدي/ة	تقليدي/ة	متوازن/ة جندري
	مضيف/ة طيران	تقليدي/ة	غير تقليدي/ة	متوازن/ة جندري
	محامي/ة	غير تقليدي/ة	تقليدي/ة	متوازن/ة جندري
	العمل بالمهن الهندسية	غير تقليدي/ة	تقليدي/ة	متوازن/ة جندري
	الخياطة	تقليدي/ة	غير تقليدي/ة	متوازن/ة جندري
	الطب النسائي والتوليد	تقليدي/ة	غير تقليدي/ة	متوازن/ة جندري
	الجراحة والتخدير	غير تقليدي/ة	تقليدي/ة	متوازن/ة جندري
	إنتاج برامج تلفزيونية أو إذاعية	غير تقليدي/ة	تقليدي/ة	متوازن/ة جندري

يظهر التمرين رقم (3) مجموعة من المهن المنمطة اجتماعيا وثقافيا .بعضها للرجل وبعضها للمرأة أو للإثنين معا حسب تعريف الثقافة في الحياة المعاصرة. يعطى هذا التمرين بالمهن فقط للمتدربين/ات للإجابة عليه. حيث تترك الحرية للمستجوب/ة لتعبئة المقياس في العمود المناسب الذي يعكس التصورات الجندرية لديهم/هن. ومن خلال الإجابة يتم تصنيفهم/هن فيما إذا كان تفكير أي منهم/هن تقليديا/ة، غير تقليدي/ة، متوازنا/ة جندريا، حسب المتوسط الحسابي لمجموع الإجابات حيث يأخذ التقليدي/ة وزن

(1)، أما غير التقليدي/ة فيأخذ وزن (2)، في حين يأخذ المتوازن/ة جندريا وزن (3).

وأخيرا يتم تقسيم المتوسطات الحسابية لإجابات الأفراد إلى الفئات التالية:-

1.(1-1.74)تقليدي/ة

2. (1.75-2.24) غير تقليدي/ة

3.(2.25-3) متوازن/ة جندري

تمرين رقم (4)

مقياس الاتجاهات الجندرية

	الاتجاهات الجندرية	موافق /ة	محايد/ة	غير موافق/ة
1	إن تعليم المرأة غير مجد لأنها ستصبح ربة بيت في المستقبل	تقليدي/ة	غير تقليدي/ة	متوازن /ة جندري
2	يجب إلقاء الضوء على النماذج والقيادات النسائية الناجحة	متوازن /ة جندري	غير تقليدي/ة	تقليدي/ة
3	أداء الطالبات في مادة الرياضيات أفضل من أداء الطلاب	غير تقليدي/ة	متوازن /ة جندري	تقليدي/ة
4	أفضل أن يكون مديري ذكرا	تقليدي/ة	غير تقليدي/ة	متوازن /ة جندري
5	تبدع الطالبات في الفرع الأدبي، ويبدع الطلاب في الفرع العلمي	تقليدي/ة	غير تقليدي/ة	متوازن /ةجندري
6	النساء أقدر من الرجال على تولي الأمور القيادية	غير تقليدي/ة	متوازن /ة جندري	تقليدي/ة
7	لا تتقن النساء النشاطات الرياضية مثل الرجال	تقليدي/ة	غير تقليدي/ة	متوازن /ةجندري

8	يجب أن يكون صانعو القرارات والسياسات من الرجال	تقليدي/ة	غير تقليدي/ة	متوازن /ة جندري
9	أرى المنهاج المدرسي يستخدم لغة الذكورة فقط	متوازن/ة جندري	غير تقليدي/ة	تقليدي/ة
10	المرأة أقدر على حل المشكلات الإدارية من الرجل	غير تقليدي /ة	متوازن/ة جندري	تقليدي/ة
11	أداء الطالبات والطلاب في المواد العلمية متشابه	متوازن/ة جندري	غير تقليدي /ة	تقليدي/ة
12	المنهاج المدرسي يظهر بأن المرأة أقل شأنا من الرجل	متوازن/ة جندري	غير تقليدي /ة	تقليدي/ة
13	يفضل أن يكون مدرسو المواد العلمية ذكورا فقط	تقليدي/ة	غير تقليدي /ة	متوازن /ة جندري
14	يجب تسليم الأمور القيادية للرجال	تقليدي/ة	غير تقليدي /ة	متوازن /ة جندري
15	ضبط المرأة أسهل من ضبط الرجل	تقليدي/ة	غير تقليدي /ة	متوازن /ة جندري
16	أفضل الاختلاط بين الجنسين	متوازن/ة جندري	غير تقليدي /ة	تقليدي/ة
17	إن المجتمع العربي موجه نحو قيم ومعايير وخبرات الذكور	متوازن/ة جندري	غير تقليدي /ة	تقليدي/ة

18	التعليم أفضل مهنة للإناث	تقليدي /ة	غير تقليدي/ة	متوازن/ة جندري
19	تفوق الرجل يعود إلى ذكائه، أما تفوق المرأة فيعود إلى الحظ	تقليدي /ة	غير تقليدي/ة	متوازن/ة جندري
20	أفضل تعديل المناهج نحو إظهار صورة أفضل للمرأة	متوازن /ة جندري	غير تقليدي/ة	تقليدي /ة
21	أشجع تعديل القوانين لتحقيق المساواة بين الجنسين	متوازن/ة جندري	غير تقليدي/ة	تقليدي /ة

يظهر التمرين رقم (4) مجموعة من العبارات تكشف الإجابة عنها عن الاتجاهات الجندرية للمستجوب/ة. تشمل الإجابة ثلاثة مقاييس تتراوح ما بين الموافق/ة، المحايد/ة، غير الموافق/ة. تعطى العبارات فقط للمستجوب/ة ويترك لهم/هن حرية الاختيار. وبناء على المتوسط الحسابي لمجموع الإجابات نستطيع أن نعرف فيما إذا كانت الاتجاهات الجندرية تقليدية أو غير تقليدية أو متوازنة جندريا. حيث يأخذ التقليدي/ة وزن (1)، أما غير التقليدي/ة فيأخذ وزن (2)، في حين يأخذ المتوازن/ة جندريا وزن (3.(

وأخيرا يتم تقسيم المتوسطات الحسابية لإجابات الأفراد إلى الفئات التالية:-

1.(1-1.74) تقليدي/ة

2 .(1.75-2.24) غير تقليدي/ة

3.(2.25-3) متوازن/ة جندري

تمرين رقم (5)

مقياس السلوك الجندري

	السلوك	دائما	أحيانا	أبدا
1	أشجع إكمال المرأة للدراسات العليا خارج البلد	متوازن/ة جندري	غير تقليدي/ة	تقليدي/ة
2	أشجع المرأة على تعلم الألعاب الرياضية كافة	متوازن/ة جندري	غير تقليدي/ة	تقليدي/ة
3	أشجع الرجل على المساعدة في أعمال المنزل	متوازن/ة جندري	غير تقليدي/ة	تقليدي/ة
4	أشجع المرأة على حرية الحوار والمناقشة، وعرض آرائها	متوازن/ة جندري	غير تقليدي/ة	تقليدي/ة
5	أشجع المرأة على العمل بأية مهنة	متوازن/ة جندري	غير تقليدي/ة	تقليدي/ة
6	أشجع المرأة على الزواج المبكر	تقليدي/ة	غير تقليدي/ة	متوازن/ة جندري
7	أمنح فرصا متكافئة للجنسين لتولي مهام الإشراف والقيادة	متوازن/ة جندري	غير تقليدي/ة	تقليدي/ة

8	أشجع الجنسين على تعلم الطبخ	متوازن/ة جندري	غير تقليدي/ة	تقليدي/ة
9	أوجه المرأة نحو التحدث بصوت منخفض	تقليدي/ة	غير تقليدي/ة	متوازن/ة جندري
10	أفخر بالنماذج النسائية الناجحة	متوازن/ة جندري	غير تقليدي/ة	تقليدي/ة
11	أعاقب الجنسين العقاب نفسه	متوازن/ة جندري	غير تقليدي/ة	تقليدي/ة
12	أقبل تقليد المرأة للرجل، ولا أقبل العكس	تقليدي/ة	غير تقليدي/ة	متوازن/ة جندري
13	أؤمن بالعدالة بين الجنسين	متوازن/ة جندري	غير تقليدي/ة	تقليدي/ة
14	أشجع المرأة على اختيار المهن المناسبة لجنسها	تقليدي/ة	غير تقليدي/ة	متوازن/ة جندري
15	أشجع المرأة على تعلم مهن غير تقليدية كالهندسة الميكانيكية	متوازن/ة جندري	غير تقليدي/ة	تقليدي/ة
16	أشجع حضور الطلاب الذكور حصص التدبير المنزلي	متوازن/ة جندري	غير تقليدي/ة	تقليدي/ة

يظهر التمرين رقم (5) مجموعة من العبارات تكشف الإجابة عنها عن السلوك الجندري للمستجوب/ة. تشمل الإجابة ثلاثة مقاييس تتراوح ما بين دائما، أحيانا، أبدا. تعطى العبارات فقط للمستجوب/ة ويترك لهم/هن حرية الاختيار. وبناء على المتوسط الحسابي لمجموع الإجابات نستطيع أن نعرف فيما إذا كان السلوك الجندري تقليديا أو غير تقليدي أو متوازنا جندريا. حيث يأخذ التقليدي/ة وزن (1)، أما غير التقليدي/ة فيأخذ وزن (2)، في حين يأخذ المتوازن/ة جندريا وزن (3.(

وأخيرا يتم تقسيم المتوسطات الحسابية لإجابات الأفراد إلى الفئات التالية:-

1.(1-1.74) : تقليدي/ة

2. (1.75-2.24) غير تقليدي/ة

3.(2.25-3) متوازن/ة جندري

تمرين رقم (6)
مقياس المهارات الجندرية

	المهارة الجندرية	الولد	البنت	الاثنين معا
1	تحضير المائدة	غير تقليدي/ة	تقليدي/ة	متوازن/ة جندري
2	الغسيل (غسيل الصحون والملابس)	غير تقليدي/ة	تقليدي/ة	متوازن/ة جندري
3	شراء جريدة	تقليدي/ة	غير تقليدي/ة	متوازن/ة جندري
4	استخدام الإنترنت	تقليدي/ة	غير تقليدي/ة	متوازن/ة جندري
5	شراء متطلبات المنزل	تقليدي/ة	غير تقليدي/ة	متوازن/ة جندري
6	تبديل جرة الغاز	تقليدي/ة	غير تقليدي/ة	متوازن/ة جندري
7	الكوي	غير تقليدي/ة	تقليدي/ة	متوازن/ة جندري
8	استقبال الضيوف (بشكل عام)	تقليدي/ة	غير تقليدي/ة	متوازن/ة جندري
9	أعمال الصيانة المنزلية	تقليدي/ة	غير تقليدي/ة	متوازن/ة جندري
10	التدريب على قيادة السيارة	تقليدي/ة	غير تقليدي/ة	متوازن/ة جندري
11	الطبخ	غير تقليدي/ة	تقليدي/ة	متوازن/ة جندري

يظهر التمرين رقم (6) مجموعة من المهارات المنمطة اجتماعيا وثقافيا. تعطى للمستجوب/ة بدون الأوزان. تشير هذه المهارات إلى التصورات الجندرية فيما إذا تم تشجيع أحد الجنسين أو كليهما على تعلمها وإتقانها سواء بشكل مماثل أو مغاير لما هو منمط ثقافيا على أنه من اختصاص جنس معين أو للاثنين معا بغض النظر عن الجنس.
وبناء على المتوسط الحسابي لمجموع الإجابات نستطيع أن نعرف فيما إذا كانت التصورات الجندرية تقليدية أو غير تقليدية أو متوازنة جندريا. حيث يأخذ التقليدي/ة وزن (1)، أما غير التقليدي/ة فيأخذ وزن (2)، في حين يأخذ المتوازن/ة جندري وزن (3.(

وأخيرا يتم تقسيم المتوسطات الحسابية لإجابات الأفراد إلى الفئات التالية-:

1.(1.74-1) تقليدي/ة

2.(2.24-1.75) غير تقليدي/ة

3.(3-2.25) متوازن/ة جندري

الخلاصة

يعتبر الجندر مؤسسة تنشىء أنماطا من التوقعات للأفراد، وتنظم عملية التفاعل الاجتماعي في الحياة اليومية. وهي مبنية على التنظيمات الاجتماعية الرئيسية في المجتمع مثل الأسرة، والاقتصاد، والتعليم، والأيديولوجية السائدة، والنظام السياسي. وهي بنية لها كيان خاص يختلف عنها على مستوى مؤسسي وعلى مستوى فردي.

وإن مأسسة الجندر في جميع القطاعات وعلى كافة المستويات تعني توظيف السياسات، والخطط، والبرامج، وخلق الهياكل والآليات، وسن التشريعات، وتوفير الموارد وكل التدابير الرامية إلى تعزيز العمل من أجل تحقيق المساواة بين الجنسين مما يؤدي إلى وجود مكانات اجتماعية مرتبطة بمجموعة من الحقوق والواجبات والمسؤوليات بغض النظر عن الجنس. ويكون المعيار للمفاضلة حينها الكفاءة، ومستوى الأداء، والإنجاز وليس الجنس بناء على نظام التدرج الاجتماعي. فالجندر نسق رئيسي هام في البناء الاجتماعي يقوم على تحقيق التوازن الجندري بين هذه المكانات غير المتساوية سواءا من حيث نسبة تمثيل النساء إلى الرجال أو من حيث التواجد في مواقع صنع القرار، وتثمين قيمة الأدوار التي تقوم بها المرأة مقارنة بالرجل ؛ للتقليل من الفجوة الجندرية بين الجنسين على جميع المستويات ولتغيير الصور النمطية.

وأما بالنسبة للتمارين التطبيقية التي تم عرضها في الفصل الخامس فهي تساهم بشكل كبير في فهم وتطبيق المفهوم سواء على مستوى فردي أم على مستوى مؤسسي. حيث تعتبر مقاييس قبلية وبعدية للتأكد من تحقيق الهدف.

الخلاصة

يعتبر الجندر مؤسسة تنشىء أنماطا من التوقعات للأفراد، وتنظم عملية التفاعل الاجتماعي في الحياة اليومية. وهي مبنية على التنظيمات الاجتماعية الرئيسية في المجتمع مثل الأسرة، والاقتصاد، والتعليم، والأيديولوجية السائدة، والنظام السياسي. وهي بنية لها كيان خاص يختلف عنها على مستوى مؤسسي وعلى مستوى فردي.

وإن مأسسة الجندر في جميع القطاعات وعلى كافة المستويات تعني توظيف السياسات، والخطط، والبرامج، وخلق الهياكل والآليات، وسن التشريعات، وتوفير الموارد وكل التدابير الرامية إلى تعزيز العمل من أجل تحقيق المساواة بين الجنسين مما يؤدي إلى وجود مكانات اجتماعية مرتبطة بمجموعة من الحقوق والواجبات والمسؤوليات بغض النظر عن الجنس. ويكون المعيار للمفاضلة حينها الكفاءة، ومستوى الأداء، والإنجاز وليس الجنس بناء على نظام التدرج الاجتماعي. فالجندر نسق رئيسي هام في البناء الاجتماعي يقوم على تحقيق التوازن الجندري بين هذه المكانات غير المتساوية سواءا من حيث نسبة تمثيل النساء إلى الرجال أو من حيث التواجد في مواقع صنع القرار، وتثمين قيمة الأدوار التي تقوم بها المرأة مقارنة بالرجل ؛ للتقليل من الفجوة الجندرية بين الجنسين على جميع المستويات ولتغيير الصور النمطية.

وأما بالنسبة للتمارين التطبيقية التي تم عرضها في الفصل الخامس فهي تساهم بشكل كبير في فهم وتطبيق المفهوم سواء على مستوى فردي أم على مستوى مؤسسي. حيث تعتبر مقاييس قبلية وبعدية للتأكد من تحقيق الهدف.

المصطلحات المرتبطة بمفهوم الجندر

*الجندر Gender

هو مفهوم يبحث في دراسة العلاقات المتداخلة بين الرجل والمرأة في المجتمع, تحدد هذه العلاقات وتحكمها عوامل مختلفة اقتصادية واجتماعية وثقافية وسياسية وبيئية عن طريق متابعة تأثيرها على قيمة العمل في الأدوار الإنجابية، والإنتاجية، والمجتمعية التي يقوم بها الرجل والمرأة. فيشكل مفهوم الجندر فصلا عاما بين الثابت والمتغير في العلاقة بين الرجل والمرأة. فالبيولوجيا موضوع ثابت لا يتأثر بالإرادة الانسانية, والأدوار الاجتماعية التي تنتجها العناصر المادية والمعنوية في المجتمع. بمعنى آخر إن علاقات القوة ليست تلقائية، وإنما منظمة حسب الثقافات المختلفة. وبذلك تصبح قابلة للتغيير حسب الثقافات السائدة في زمن معين ومكان معين. وتنتقل هذه الثقافة عبر الأجيال من خلال عملية التنشئة الاجتماعية بحيث يمثل الجندر من خلال هذه العملية الأدوار الاجتماعية التي يصنفها المجتمع بناء على النوع البيولوجي لكلا الجنسين ويتوقع منهما أن يتصرفا بناء عليها من خلال الاعتماد على منظومة من القيم والعادات الاجتماعية والسلوكات المناسبة لكل جنس.
(شكري،2002؛ حوسو، 2007)

*أبعاد مفهوم الجندر Gender Dimensions

ترتبط بالصفات والأدوار والمكانات والمهن والتوقعات والمهارات للجنسين.

*الجنس Sex

يحتوي المعنى الواسع لكلمة جنس و جنسانية (Sex &Sexuality) على مجموع الطبائع الجسمية والفيزيولوجية الخاصة بالذكور والاناث أي الفروق البيولوجية الطبيعية من حيث الكروموسومات، والهرمونات، والوظائف البيولوجية بين الذكر والأنثى تولد مع الإنسان ولا يمكن تغييرها. والتي وجدت من أجل أداء وظائف معينة. (اليونيفيم: 2001)

*الجنسانية Sexuality تشير إلى جنس النساء وجنس الرجال.

*الجنسوية Sexism

تشير إلى الاتجاه الذي يميز بين الجنسين وينحاز إلى جنس الذكور. معتقدا بدونية الإناث، وتفوق الذكور. وهو يستخدم في تبرير الاستغلال الجنسي ومشروعيته. (شتيوي،1999)

*الجنوسة

كان هذا المصطلح في البداية يستخدم للدلالة على تعريب لمفهوم الجندر. ويعود إلى حركات نسائية طالبت بالمساواة بين المواطنين والمواطنات حتى أصبحت واسعة الانتشار، وعميقة من حيث الدراسة والتفكير. فالفكر الجنوسي قام على مطالبة النساء بحق المواطنية الكاملة. (حمادة،1997)

*التنشئة الاجتماعية Socialization

" تربية الفرد وتعليمه/ها لغة الجماعة التي ينتميا اليها, والخضوع لمعاييرها وقيمها، والرضا بأحكامها، والتطبع بها. وهي عملية يتم من خلالها انتقال ثقافة المجتمع وأسلوب حياته من جيل إلى جيل. ويتم من خلالها تشكيل الأفراد وإكسابهم الخبرات من الطفولة حتى الهرم". (ناصر:2004) وهي العملية التي يتعلم بها الأطفال والأعضاء الجدد في المجتمع طريقة الحياة السائدة في مجتمعهم. ومن هنا فهي القناة الأولية التي يتم من خلالها نقل الثقافة عبر الزمن والأجيال (Giddens, 2001) .

*مؤسسات التنشئة الاجتماعية Agencies of Socialization

هي عبارة عن الجماعات والأطر الاجتماعية التي تحيط بعملية التنشئة الاجتماعية.

*التنشئة الاجتماعية الجندرية Gender Socialization

هي العملية التي يتم من خلالها تطور الأدوار الجندرية للجنسين

. Gender role developmentوهي عملية مستمرة مدى الحياة مع وجود متطلبات مختلفة تحدد السلوك المناسب لكل مرحلة عمرية ولكل فترة زمنية تبعا للتطور المحيط بالمجتمع في كل مرحلة.

*الذكورة Masculinity

تعني مجموعة الخصائص المميزة للرجال. وهي تستند إلى الحتمية البيولوجية البسيطة، وتؤكد على الاختلافات البيولوجية بين الجنسين. (جامبل،2002(

*الأنوثة Femininity

تعني مجموعة الخصائص المميزة للإناث. وتستند إلى الحتمية البيولوجية .

*المكانة الجندرية Gender Status

هي الموقع الذي يحتله كل من الذكر والأنثى في البناء الاجتماعي. فيصبح نموذجا لسلوك كل منهما ويتضمن حقوقا وواجبات معينة، وسلطة اجتماعية معينة، وموقفا اجتماعيا. هذا وتتغير المكانة من وقت لآخر تبعا للتغيرات الاجتماعية والثقافية في المجتمع. فمكانة النساء مقابل مكانة الرجال في المجتمع تتأثر بعقائد وتقاليد الثقافة في هذا المجتمع، وبتوقعات الآخرين، وبالصورة التي ينبغي أن يكون عليها كل جنس. (اليونيفيم،2001؛ حوسو،2007 (

*الأدوار الجندرية Gender Roles

هي الأنماط السلوكية المتوقعة التي يحددها المجتمع والثقافة لكل من الذكور والإناث على أساس الظروف الاجتماعية، والقيم، والضوابط، والتصورات السائدة في المجتمع تبعا لطبيعة كل من الذكر والأنثى وقدراتهما واستعدادهما وما يناسب كلا منهما حسب توقعات المجتمع من حيث الحقوق والمسؤوليات المعتادة للجنسين في المجتمع. فأدوار النوع الاجتماعي نظرا لأنها مصنوعة ثقافيا واجتماعيا من خلال عملية التنشئة الاجتماعية يمكن أن تكون متبادلة بين الجنسين فهي ليست ثابتة عبر الزمن ولا بين الثقافات والمجتمعات؛ وإنما هي ديناميكية متغيرة مثل الأعمال المنزلية. أما أدوار الجنس البيولوجي فهي ثابتة نسبيا. (المرجع السابق)

*مفهوم الذات الجندري Gender-Self Concept

هو تكوين معرفي منظم موحد ومتعلم للمدركات الشعورية والتصورات والتعميمات الخاصة بالذات يبلوره الفرد ويعتبره تعريفا لذاته؛ فينمو مفهوم الذات عند الفرد كنتاج للتفاعل الاجتماعي جنبا إلى جنب مع الدافع الداخلي لتأكيد الذات, ومن هنا يبدأ الفرد (الذكر والأنثى) بمعرفة جنسهما وما هو مناط بهما اجتماعيا من خلال معرفتهما بذاتهما, ويبدأ السلوك بناء على خبرتهما عن ذواتهما, (المرجع السابق). فالعلاقة بين الذات والمركز والدور متداخلة ومعرفة الذات تعتمد على المركز والدور الذي يحتله الفرد, إن كلا من المركز والدور وجهان لعملة واحدة.

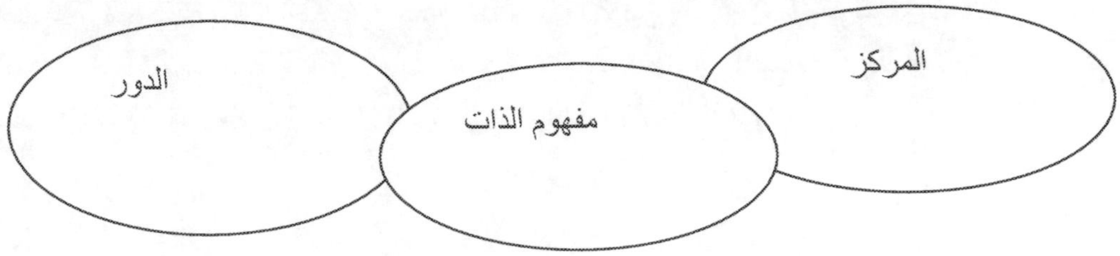

*عدم المساواة الجندرية Gender inequality

الفروق بين الجنسين في المكانة والقوة والامتيازات في أي مجتمع .

*التحليل الجندري Gender Analysis

هو عملية دراسة وتحليل للعلاقات المتداخلة بين الرجل والمرأة في مجتمع ما بهدف فهم التباين والتنوع بين الجنسين في الظروف والاحتياجات الحياتية والمشاركة، وحرية الوصول والتحكم في الموارد، واتخاذ القرار. ويلقي التحليل الجندري الضوء على التوزيع غير المتساوي لمصالح الرجل والمرأة ضمن مجتمع

أو ميدان معين سواء كان مؤسسة أو أسرة أو مجتمعا محليا. بمعنى آخر فهو يكشف أسباب عدم المساواة في البيئة الجندرية. وتشمل عملية التحليل الجندري استعمال المعلومات المصنفة حسب الجنس أو البحث في نقاط الاهتمام والمصالح المختلفة للرجال أو النساء حول موضوع معين. وهو يعنى بالنتائج المتباينة للسياسات، والاستراتيجيات، والتشريعات، والبرامج، والمشاريع المترتبة على المرأة والرجل. كما يحدد الإجراءات التي يمكن أن تساهم بالمساواة في العلاقات الجندرية وتحقيق التوازن بين الجنسين. وتتعدد أهداف التحليل الجندري ولكن نستطيع أن نجملها جميعها في كلمة واحدة وهي "التمكين " Empowermentوالذي يعني-:

"رفع الوعي والمقدرة والتفهم والاستعداد للمرأة والرجل من أجل إحداث تغيير في المجتمع". (اليونيفيم،2001(

*مأسسة النوع الاجتماعيGender Institutionalization

ونعني بذلك السياسات، والخطط، والبرامج، وخلق الهياكل والآليات، وسن التشريعات، وتوفير الموارد، وكل التدابير الرامية إلى تعزيز العمل من أجل تحقيق المساواة بين الجنسين.

*الفجوة الجندرية Gender Gap

وهي النسبة المئوية للذكور مطروح منها النسبة المئوية للإناث في أي موقع وفي أي مؤسسة لمعرفة نسبة تمثيل الإناث إلى الذكور والفرق بينهما يسمى بالفجوة الجندرية. ويعتبر مؤشرا لقياس التوازن الجندري في أي مؤسسة.

*الصورة النمطية Stereotype

هي صورة في العقل لا تتطابق دائما بالواقع الحقيقي. تمثل ما يحمله الإنسان/ة من تصورات، وأفكار، ومفاهيم. وتتحول هذه التصورات إلى اتجاه يؤدي إلى تعصب prejudice وقد يكون هذا الاتجاه سلبيا سواء اتجاه نحو أشخاص أو جماعات معينة أو جنس. وتتحول مجموع التصورات والصور النمطية والاتجاهات إلى التمييز على مستوى السلوك . discrimination Matlin, 1996))

صورة نمطية stereotype ← تصورات ومفاهيم conceptions

تعصب prejudice ← اتجاه attitude

تمييز discrimination ← سلوك action

*الصورة النمطية الجندرية Gender Stereotype

مجموعة منظمة من المعتقدات التي تم الاتفاق عليها بالإجماع حول خصائص كل من الذكور والإناث. ويقود نظام المعتقدات الطريقة التي تعالج فيها المعلومات عن الجندر. حيث يتم تنميط الأشياء والأشخاص في متقابلات كالرجل مقابل المرأة، الأبيض مقابل الأسود؛ مما يجعل الإطار المعرفي الاجتماعي حول الأشياء والأشخاص ينقاد نحو توقعات مختلفة للسلوك. الأمر الذي يجعل الصورة النمطية مقاومة للتغيير. وهي صورة ثابتة ومستمرة عبر الأجيال وتتمتع بدرجة كبيرة من التقليدية . Matlin, 1996; Crawford & Unger, 2000))

*الاستدخال Internalization

تبدأ هذه العملية في بداية عملية التنشئة الاجتماعية باكتساب كل ما يوجد في البيئة المحيطة وعكسه في الذات. فيتم استدخال عناصر مادية

وموضوعات من البيئة الخارجية، وعناصر معنوية كالعادات والتقاليد والقيم والمعايير. وتؤدي هذه العملية إلى معرفة معاني الأشياء والمفاهيم لما يحيط بنا. وتتفاعل هذه المعاني في الداخل فيتم تراكم المعاني والمعلومات والمعارف التي بالتالي تشكل التصورات عن الفرد وعن الآخرين أثناء تطور الذات والشخصية. (عقل،1988(

*الاتجاهات Attitudes

عبارة عن عدد من العمليات الدافعية والانفعالية والإدراكية والمعرفية التي انتظمت في صورة دائمة، وأصبحت تحدد استجابة الفرد لجانب من جوانب البيئة. (الكتاني،2000) والاتجاه أيضا مجموعة من الأقوال والأفعال المتسقة شبه النمطية التي تظهر على شكل استجابات لمثير ما. والاتجاه ينشأ ويتطور بفعل عمليتي التنشئة الاجتماعية والتفاعل الاجتماعي في ثقافة معينة وفي مجتمع محدد. ويتم التعبير عن الاتجاه أحيانا من خلال السلوك. ولكنه لا يكون دائما متسقا مع السلوك. وللاتجاه ثلاثة أبعاد: بعد معرفي (المعتقدات)، بعد عاطفي (سلبي أو إيجابي)، بعد سلوكي (لغوي،غير لغوي). (ناصر،2004)

*المخطط العقلي Schema

هو منظومة من الأفكار والأحداث وأساليب حل المشكلة التي تساعد الفرد على مواجهة تحد فكري معين أو موقف محدد. (سليمان،2005)

*السلوك الإنساني Human Action

عبارة عن نشاط موجه ومقصود لتحقيق أهداف معينة، وإشباع حاجات معينة. ويتأثر بالنواحي الإدراكية والمعرفية والانفعالية عند الإنسان/ة. ويتم تعلم السلوك الإنساني من خلال التفاعل مع البيئة المحيطة وذلك من خلال مؤسسات التنشئة الاجتماعية المختلفة. (سليمان،2005)

*عملية التنميط Typing Process

عملية معرفية تعتمد في تكوينها على التصنيف Categorization ، وعلى التعميم . Generalization تستخدم لتنظيم واستخدام المعارف والمعلومات التي يتم تخزينها من خلال التفاعل مع البيئة المحيطة. (ساري،1999(

*التنميط الجنسي SEX_TYPING

هو التقليد والتقمص الذي يؤدي الى اكتساب أنماط السلوك الاجتماعي الخاصة بالجنس، ومشاعره، واتجاهاته، وقيمه، وطرق إظهار هذا السلوك. (اليونيفيم،2001(

*التعصب الجندري Gender Prejudice

يعني تبني اتجاه غير نقدي لأدوار النساء والرجال، والقبول بالقيمة والمعنى لمكانة كل منهما في النظام الأبوي. (بيضون،2004(

*النسوية Feminism

مفهوم جديد اشتقته من الفرنسية مفكرات تنبهن إلى أن النساء قد حط من قدرهن على مر العصور، فأثرن الوعي بحقوق النساء وطالبن بتحريرهن من هيمنة السلطة الذكورية في الأسرة، والعائلة، وفي المجتمع. (العزيزي،2005(

*إعادة الإنتاج Reproduction

تعني إعادة الإنتاج الاجتماعي من الحمل، والإنجاب، وتربية الأطفال، والأعمال المنزلية غير التجارية. (شوي،1995(

*التفاعل الاجتماعي Social Interaction

العملية التي يتأثر بها سلوك الفرد بسلوك الآخر/الأخرى، ويؤثر فيهما. سواء أكان الآخر/ى واقعا أم متخيلا. (عقل،1988)

*الثقافة Culture

هي جميع أنواع السلوك المتعلم والمتوقع في مجتمع. ويشمل معنى العمران، والأدوات، ووسائل إنتاجها. كما يشمل النظم، والمعتقدات، والمعايير، والعادات، والتقاليد، والأعراف. بمعنى آخر هي كل ما أنتجه العقل البشري أو تبناه في الحياة الاجتماعية من وسائل وأدوات وإنتاجات مادية ومعنوية. (عثمان،1999)

*التوازن الجندري Gender Sensitivity

عدم التحيز لصالح جنس على آخر فيما يتعلق بتنميط الصفات، والأدوار، والمهن، والمكانة الاجتماعية، وحكرها على جنس معين. فالتوازن الجندري يعني إزالة المفاضلة بين الجنسين والاعتراف بوجود فروق بيولوجية بينهما على أن تستخدم كقاعدة للتكميل والتكامل بين الجنسين وليس للتمييز بينهما. بحيث يكون معيار المفاضلة على أسس فردية تنطلق من القدرة والكفاءة للقيام بأدوار معينة سواء داخل الجنس الواحد أو بين الجنسين. (حوسو،2007)

الخاتمة

تبرز أهمية الوعي بكل ما يتعلق بمفهوم الجندر الذي يعنى بالمرأة والرجل معا؛ بأن كل حركات التحرر التي تهتم بتوعية المرأة بشكل منفصل عن توعية الرجل، ومنفصل عن دورة الحياة الاجتماعية وعن الخلفية التاريخية؛ هي حركات منقوصة وغير مجدية، وتبدو مثل من يصفق بيد واحدة. وبالتالي لن تتغير وضعية المرأة إلا بتغيير التركيبة الاجتماعية والثقافية والسياسية والاقتصادية والتربية للرجل والمرأة معا خاصة أن التحرير يرتبط بالمرأة والرجل معا، ويتعلق بالديمقراطية والعدالة وحقوق الإنسان/ة، وإشراك المرأة في صنع القرار وسن القوانين التي تخفف من حدة التمييز بين الجنسين، وتتعلق بعدالة توزيع الثروات والمساواة في الأجور، وبإتاحة فرص عمل متساوية بين الجنسين، وبتثمين دور كل منهما في عملية التنمية.

وقد ينظر البعض إلى مفهوم الجندر بأنه ناقوس خطر ويتم رفضه بشكل تام؛ لأن التمييز ما بين مفهومي الجنس (النوع البيولوجي) ومفهوم الجندر (النوع الاجتماعي) يرتبط بالفرق بين أنواع المكانة الاجتماعية social status ، فترتبط المكانة الموروثة ascribed status بمفهوم الجنس، في حين ترتبط المكانة المكتسبة achieved status بمفهوم الجندر. ومعنى أن تتعرف المرأة على هذا الفرق بينهما وتميز حقيقة اختلافهما أنها ستبدأ بالمقارنة بين مكانتها ومكانة الرجل الأمر الذي يهدد الاستقرار الاجتماعي؛ لأن المرأة حينها ستبدأ

بالمطالبة بتساوي المكانات وبحقوقها المسلوبة مما يهدد الكيان الاجتماعي للمجتمع الأبوي بشكل عام، وكيان الرجل بشكل خاص. كما قال بارسونز في النظرية الوظيفية إن أي تغيير من خارج النسق يهدد استقرار النظام الاجتماعي. لذلك رفض ماكس فيبر - أحد رواد الوظيفية- الحركات النسوية التي تطالب بالتغيير وتشكل خطرا على استقرار النظام الاجتماعي. وإذا طبقنا هذا الأمر على المجتمعات الأبوية سنجد أن أغلبية الرجال من أنصار هذه النظرية المحافظة فهم يريدون الاحتفاظ بمكاناتهم ولا يريدون التغيير على الرغم من أنهم مستفيدون منه أيضا.

ومفهوم الجندر ليس مرادفا للنظام الأبوي أو لسيادة الرجل فوق المرأة، وإنما هو مفهوم أعم فهو يشمل جميع العلاقات الاجتماعية التي توزع الناس في مكانات جندرية مختلفة. فهو مكتسب وموروث في الوقت نفسه. والتمييز بين مفهومي الجنس والجندر يتم من خلال توضيح الخصائص الموروثة ascribed characteristics والمرتبطة بالجنس وتقسيمه إلى نوعين ذكر male، وأنثىfemale ، وبين الخصائص المكتسبة achieved characteristics والتي تنقسم إلى نوعين ولد boy وبنتgirl ، رجل man وامرأة .woman ومن ثم من خلال الصفات والأدوار والمهن والتنميط بين الجنسين والتعامل المختلف لكل جنس والتوقعات المختلفة أيضا، يوضح لنا مفهوم الجندر الذي يختلف باختلاف الثقافات وينبني أساسا على الفروق البيولوجية بين الجنسين. لذلك يشبه الجنس sex بأنه الحاضن لمكونات الجندر :

Sex is the container, Gender is the contents؛ بمعنى أن الجنس هو الأساس والذي يحدد بدوره جميع الخصائص الجندرية لكل جنس.

نحن لا نولد ويولد معنا مفهوم الجندر. والجندر أساسا ليس شيئا نملكه بقدر ماهو شيء نفعله ونؤديه. وهو مفهوم اجتماعي مبني على الفروق البيولوجية

التي يبالغ في تضخيمها لدرجة تفرض حدودا ثقافية بين الجنسين لا دخل للفروق البيولوجية بها أبدا. لكن يتم استغلال الفروق البيولوجية وتوظيفها لطمس تأثير التربية الاجتماعية كاستخدام ارتفاع نسبة هرمون التستسترون عند الرجال للإشارة إلى أن الرجال أكثرخشونة وأكثر قوة. بالإضافة إلى استغلال الحقيقة البيولوجية القائلة بأن الطرف الأيسر من الدماغ يكون عند الرجل أقوى بقليل من المرأة. وتوظيفها للربط بين صفة العقلانية وبين الرجل وجعلها من ثم حكرا عليه أيضا. أما تساوي جانبي الدماغ لدى المرأة فربطت به صفة العاطفية.

وإن الهوية الذكورية تتضمن رفض كل ما له علاقة بالأنوثة. فصفات: الاستقلالية والقيادة، والعقلانية، مرتبطة بالأدوار الذكورية، وترتبط بالإناث صفات: اللباقة، والعاطفة، والاهتمام بالأمور العائلية، والحاجة الدائمة لوجود رجل يوفر الحماية من الفقر والضياع.

وإن هذه الصفات لا تولد مع الأنثى وإنما هي صفات تتنشأ الأنثى على استدخالها وتمثلها لتجتمع في شخصية أنثوية واحدة. وذلك عند التحول من الصبية إلى الزوجة إلى الأم. وتصبح هذه الصفات من ثم جزءا من بناء الذات والشخصية للجنسين بحيث تبدو وكأنها معطيات طبيعية. وكما قالت سيمون دي بوفوار: "المرأة لا تولد امرأة وإنما تصبح امرأة". ونستطيع أن نضيف هنا أيضا أن الرجل لا يولد رجلا وإنما يتعلم كيف يصبح رجلا وكيف يلبي متطلبات وقيم الرجولة.

وتعتبر الصفات المرتبطة بالرجولة محمودة لأنها فضائل إنسانية يقاس بها الناس، ولكن لا يجوز من خلالها أن تحل المرأة محل الرجل، وإنما يجب أن تبقى تابعة له. والمرأة التي تتعدى دورها الأنثوي في مجتمعنا الحالي تجد نفسها في موقف حرج، فإذا كان ذلك مناسبا للمجتمع قيل عنها إنها أخت

رجال، وإذا لم يناسبه سلوكاتها قيل إنها ذكر وحسن صبي tomboy وذلك للإناث الصغيرات بالسن. فالصفة الأولى محمودة، بينما الصفة الثانية مذمومة. ومن الصعب على المرأة أن تعرف الحدود بين أخت الرجال والمرأة الذكر؛ لأنها متغيرة من حالة إلى أخرى بتغير الموقف وبتغير الشخوص التي تراقب السلوك وتقوم بالتقييم. ويقع العبء الأساسي في تكريس ذلك على مؤسسة التعليم لأنها الأساس التي تؤدي إلى التغيير، والتطور، وتفتح العقل، واحترام الآخر/الأخرى. فإذا توقفت التجربة لمرحلة معينة ستتحجر العقول وستبقى دائرة تعيد نفسها باستمرار. والخصائص الأنثوية التي تعتبر أصيلة مثل صفة العاطفية، والاهتمام الاجتماعي، والسلبية ليست خصائص أنثوية بالطبيعة، ولا فطرية. بل مكتسبة ثقافيا من خلال عملية التنشئة الاجتماعية المباشرة وغير المباشرة أثناء مراحل النمو.

وفيما يتعلق بمهن الذكور المتقولبة في النظام الاجتماعي فهي ليست فقط مختلفة عن مهن الإناث. وإنما تعتبر أعلى منها ضمن التراتبية الاجتماعية. فعلى سبيل المثال: تعمل الأم في البيت لكي توفر لنا السعادة. والأب يعمل طوال النهار ليؤمن لنا احتياجاتنا. إن قالب المهن يعني أيضا وجود مهن للإناث ومهن للذكور. وهذه المهن ليست متراصفة قرب بعضها وإنما تقع في تراتبية اجتماعية. وإن ممارسة كل منها يؤدي إلى نتائج مرتبطة بالأدوار مثل إظهار الرجل أميرا، وإظهار المرأة ممرضة مثلا. فهذا القالب يعكس وجود علاقة استتباع وعلاقة سيطرة، فالتمييز الاجتماعي بين الرجل والمرأة يربط المرأة بالدورالاستهلاكي بينما يربط الرجل بالدور الإنتاجي. فالرجال يعملون والنساء يتركن العمل، لأن العمل المنزلي ليس عملا على الرغم من أنه يخضع النساء لعبودية العمل المنزلي. ومن هنا نجد أن الواجبات المتعلقة بالقيام بالأعمال التطوعية والخيرية في المجتمع وواجبات ترشيد الاستهلاك وتشجيع المنتجات

المحلية قد ألقيت على عاتق المرأة بشكل كبير في المجتمع في حين أن الواجبات المتعلقة بالوعي بالشؤون السياسية والانتماء وحب الوطن اعتبرت واجبات ذكورية.

وإن الواقع الاجتماعي والأسري أيضا فرض على المرأة أن تتجه إلى دراسات معينة لا بسبب ميل طبيعي ومغروس لديها بقدر ما هو إفراز لهذا الواقع الاجتماعي. فقد فرض على الفتاة تحديد مجال التعليم وتحديد نوعيته، بحيث يكون متوافقا مع النظام الاجتماعي السائد والمقبول. وإن تأثر المجتمعات العربية بالحداثة وفي الثقافة الغربية فرض ضرورة إتاحة الفرص لتعليم الفتاة أسوة بأخيها، وللتوفيق بين هذا الوضع الجديد ومتطلبات الثقافة السائدة في نطاق القيم والمفاهيم السائدة. ومن هنا سمح للمرأة بمواصلة التعليم الجامعي ولكن في كليات تؤهلها للعمل في مهنة لا تتناقض ووظيفتها التي خلقت لها. ومن هنا كان تركز البنات في الكليات الأدبية والتربوية والطبية؛ وذلك لتأهيلهن إلى العمل في مهن محددة ومناسبة لطبيعتهن التي حددها المجتمع لهن كالتدريس لبنات جنسهن مثلا؛ لأن ذلك يعتبر امتدادا لدورهن في تربية أطفالهن كزوجات وأمهات. وكذلك الأمر بالنسبة إلى مهنة التمريض والطب، حيث اعتبرت هذه المهن امتدادا لمهن تتعلق بالرعاية والحنان والعواطف. بالإضافة إلى وجود شريحة في المجتمع ترفض الذهاب وعرض المشكلات الصحية المتعلقة بالإناث عند أطباء ذكور. فوجود امرأة طبيبة يساهم في حل هذه العقد الخاصة في علاج النساء.

وإن تقسيم العمل حسب الاختلافات الجنسية المزعومة يجعل الإناث والذكور يتجهون إلى كليات مناسبة للجنس، فمثلا يعتبر المجتمع أن دراسة الهندسة لا يتماشى مع أنوثة المرأة وتكوينها البيولوجي متناسيا أن ما تقوم به المرأة الريفية مثلا من أعمال شاقة في الزراعة وتربية الحيوان وجلب المياه

وإعداد الطعام وغير ذلك، وعندما دخل التحديث في المجال الزراعي، وبدئ باستخدام أساليب التكنولوجيا الحديثة في الزراعة ركز المخططون ومتخذو القرار السياسي على إعداد الرجل وتدريبه في استخدام تلك الأساليب الجديدة مما أدى إلى الانحدار السريع لمعدلات المشاركة الاقتصادية للمرأة خاصة في المجال الزراعي.

وأما بالنسبة لمقولة: " إن المرأة ضد المرأة" في مواقع السلطة وصنع القرار هذه المقولة التي ترى بأن المرأة تفضل أكثر من الرجل أن يكون المدير ذكرا فذلك مرده ارتباط عقلية الأقلية لدى النساء على الرغم من كونهن الأغلبية، وذلك بحكم التهميش والتمييز الذي يتعرضن له في الحياة العامة.

وإن ما عانته تلك النساء من تهميش وتمييز دفعهن لعدم تصديق حصولهن على تلك المكانة ومن ثم التشبث بها بكل وسيلة خوفا من أن يحرمن منها من جديد. خاصة أن تلك المكانة منحتهن الشعور بالسعادة مما جعلهن يخفن فقدانها ويسعين للحفاظ عليها بكل قوة ممكنة ولو كانت الوسيلة هي إيذاء الأخريات. وحال المرأة هنا يشبه حال المرأة التي وصلت إلى صنع القرار فإذا بنا نراها تركن إلى ما وصلت إليه وتسعى للحفاظ عليه قاتلة طموحها. وهو أمر لم يكن ليحدث لو كان وجود المرأة في مراكز صنع القرار أمرا طبيعيا ولم يكن حكرا على الرجل.

ومن الأمور السلبية الناجمة عما سبق أننا نلمح أن النساء في تلك الحالة لا يتواصلن مع مستخدميهم من كلا الجنسين، ولا يسندن لهم/لهن مسؤوليات، ويرفضن أن يدربنهم/هن تدريبا جيدا لأن الخوف قد تملك أجسادهن وعقولهن وتحكم بتصرفاتهن. كما أن المرأة في مراكز صنع القرار ترى دائما ساعية لإثبات استحقاقها للمركز والسلطة التي وصلت إليها. وتشعر دوما بأنها مطالبة بأن تبرز نجاحها، وتنفي وصولها لهذا المركز المتميز بسبب جمالها وأناقتها،

وبأن تكافح مثل الرجل لتصل إلى مواقع السلطة وصنع القرار، وتحافظ على ما تصل إليه.

وبالنسبة لمقولة: إن الإناث لا يمتلكن القوة والمرونة الجسدية مثل الذكور بسبب الفروق الطبيعية الموروثة بينهما فهو أمر يسهل أن نعزوه إلى أن الأنثى ما زالت تمنع من ممارسة بعض الألعاب الرياضية بذريعة الخوف على تركيبتها الجسدية. ففي الألعاب الرياضية المبكرة التي تسمى في كتب الرياضة "ألعاب صغيرة"، لا يكون الجنس بتلك الأهمية كما يصبح فيما بعد. فالبنت لا تشجع على الألعاب التي تتطلب جهدا جسديا قاسيا وبذل قوة كبيرة، فينكر عليها بالتالي إمكانية تطور القدرات الجسدية. أما الذكور فيتم تشجيعهم على الألعاب التي تتطلب جهدا جسديا قاسيا وبذل قوة كبيرة، وبالتالي يبدأ الزعم بأن الصبيان يندفعون أكثر من البنات نحو الألعاب التنافسية. ويتم تمرين الصبيان على الألعاب الإنشائية في مرحلة الطفولة مثل البناء والمكعبات وغيرها، أما الإناث فيتم تمرينهن على ألعاب الأدوار. فالصبيان يتعلمون في هذه المرحلة من التطور التعامل مع المواد، بينما تتعلم الإناث الصلات الاجتماعية .

وكما أن جميع الكتب سواء المنهاجية أم كتب التخصص أم كتب التاريخ وحتى القصص والروايات ونتيجة لأن كتابها كانوا من الذكور لجأت لاستخدام لغة الذكورة متجاهلة زخم اللغة العربية تحديدا فيما يتعلق بضمائر المخاطبة للجنسين. واستمر استخدام اللغة الذكورية للتعبير عن الجنسين، واعتبر أمرا طبيعيا. ثم امتد ذلك ليطال اللغة العامية أيضا فغدا الحديث بلغة الذكور أمرا شائعا حتى لو لم يكن هناك إلا ذكر واحد. ولما كانت اللغة مهمة جدا للتواصل والاتصال بين الأفراد، ولنقل الثقافة عبر الأجيال فإن استخدامها على هذا النحو وارتباطها بمن وضع أساسياتها من الذكور يكشف لنا عن مدى التنميط والتحيز.

فمثلا استخدام تاء التأنيث الساكنة التي لا محل لها من الإعراب يبين لنا مدى ربط الأنثى بمثل هذا الوصف الأمر الذي يترسخ لاحقا عند استخدامه كقاعدة علمية يدرسها الأطفال. ويميز البعض أيضا بين الحروف الساكنة consonants وبين الحروف الصوتية أو حروف العلةvowels ، ويعلمونها للأطفال من خلال عزو الحروف الساكنة إلى الأنوثة، وتشبيه الحروف المتحركة بالذكورة. وهكذا تبنى التصورات الجندرية منذ الصغر، لا بل ويترسخ في الأذهان تصورات حول اعتبار الرجل هو المعيار الذي نتحدث بلغته . بل وينظر للذكر باعتباره ينجح ويندفع للأمام بسبب عوامل دفع تكمن في ذاته مثل القوة الذهنية والعاطفية والأخلاقية، وتضاف لها العوامل الخارجية الداعمة والمتمثلة في أفراد العائلة. أما الأنثى فنجاحها يعود إلى عوامل خارجية تتراوح بين مساعدة أفراد عائلتها وعامل الحظ بالإضافة إلى الجمال، وهذا مرتبط بالصور النمطية عن الجنسين.

إن تحقيق العدالة الجندرية يتطلب تغييرا لممارسات التنشئة الاجتماعية في كافة المؤسسات نحو التوازن الجندري. ويتم ذلك من خلال تحقيق التوازن بين وجود المرأة والرجل في مواقع صنع القرار، وجعل نسب تمثيلهما في كافة المستويات متساوية، وتعديل المناهج وكل ما يتعلق بالعملية التعليمية نحو إظهار صورة متوازنة لأهمية أدوار ومكانة الجنسين . فلا وجود لجنس يولد متفوقا ومتميزا على الآخر، ولكن عملية التربية التي تقوم على أساس التمييز بينهما تخلق بفعلها ذلك تمييزا لجنس على آخر. ومن هنا يجب تغيير عملية التنشئة الاجتماعية، وإعادة توزيع الأدوار بين الجنسين، واحترام الآخر/الأخرى، واحترام حقهما في الاختلاف.

ولذلك لن تتحرر المرأة، ولن تتغير مكانتها، ولن تطبق العدالة الجندرية إلا عندما يتحرر الرجل من القيود التي تكبله، ويتحرر من ازدواجية الخطاب، ويتحرر من الأساطير والصور النمطية والذهنية التقليدية التي ورثها عن المرأة .

قائمة المراجع

*المراجع باللغة العربية-:
-مقدمة ابن خلدون،دار الجيل،بيروت.
1- الأمين،عدنان، (2005).التنشئة الاجتماعية وتكوين الطباع.(ط1).المغرب:المركز الثقافي العربي.
2- إنجلز،فردريك، (1975).أصل العائلة والملكية الخاصة والدولة.موسكو: دار التقدم.
3- أوكين،سوزان، (2002).النساء في الفكر السياسي الغربي.ترجمة:إمام عبد الفتاح إمام.(ط1). القاهرة:المجلس الأعلى للثقافة.
4- بركات،حليم، (2000).المجتمع العربي في القرن العشرين.(ط1).بيروت:مركز دراسات الوحدة العربية.
5- بن سلامة،رجاء، (2005).إفراط الجندر. في:أنطوان أبو زيد(مترجم)،التذكير والتأنيث (الجندر).(ط1)،(ص:13-44)،بيروت:المركز الثقافي العربي.
6- بهلول،رجا، (1998).المرأة وأسس الديمقراطية في الفكر النسوي الليبرالي.(ط1). فلسطين: مواطن.
7- بيضون،عزة، (2004).الشباب الجامعي في لبنان:الهويات والاتجاهات الجندرية (الثوابت والمتحولات).المستقبل العربي.26(301):30-41.
8- جامبل،سارة،(2002).النسوية وما بعد النسوية.ترجمة:أحمد الشامي.(ط1).القاهرة: المجلس الأعلى للثقافة.

9- جيانغ،لي كيسياو، (2005).جسمانية الجنس المجتمعي. في:أنطوان أبو زيد(مترجم)، التذكير والتأنيث (الجندر).(ط1)،(ص:105-120)،بيروت:المركز الثقافي العربي .
10- حمادة،نجلاء، (1997).المواطنية: تفكيكها وإعادة صياغتها من منظور جنوسي، في: المواطنية في لبنان بين الرجل والمرأة.(ط1)،(ص13-24)، بيروت:دار الجديد.
11- حوسو، عصمت، (2007). تصورات المعلم/المعلمة حول مفهوم النوع الاجتماعي(الجندر) وأبعاده في محافظة العاصمة. رسالة دكتوراة غير منشورة، الجامعة الأردنية، عمان، الأردن.
12- الحيدري،إبراهيم، (2003).النظام الأبوي: وإشكالية الجنس عند العرب.(ط1).بيروت: دار الساقي.
13- دي بوفوار،سيمون، (1997).الجنس الآخر.(ط1).بيروت:دار أسامة.
14- الرايس،حياة، (1995).جسد المرأة من سلطة الإنس إلى سلطة الجان.(ط1).القاهرة: سينا للنشر.
15- الرحموني،سعيدة، (2002).المرأة العربية:من صراع الأدوار إلى الاشتراك في الأدوار. المستقبل العربي.24(283):93-107.
16- الرشدان،عبد الله، (1999).علم اجتماع التربية.(ط1).الأردن:دار الشروق.
17- ساري،حلمي، (1999).المرأة كآخر:دراسة في هيمنة التنميط الجنساني على مكانة المرأة في المجتمع الأردني.في:الطاهر لبيب(محرر)،صورة الآخر:العربي ناظرا ومنظورا إليه. (ط1)،(ص759-781)، بيروت:مركز دراسات الوحدة العربية.
18- سليم،مريم، (1999).أوضاع المرأة العربية.في:(مجموعة محررين)،المرأة العربية بين ثقل الواقع وتطلعات التحرر.(ط1)،(ص13-33)،بيروت:مركز دراسات الوحدة العربية.

19- سليمان،حسين، (2005).السلوك الإنساني والبيئة الاجتماعية بين النظرية والتطبيق. (ط1). بيروت:مجد المؤسسة الجامعية للدراسات والنشر والتوزيع.
20- شتيوي،موسى، (2003). الأدوار الجندرية في الكتب المدرسية للمرحلة الأساسية في الأردن. دراسات(العلوم التربوية)، 30 (1) : ص 90- 104.
21- شحاتة،عبد المنعم، (1999). المرأة العاملة في المجال الأكاديمي كما يراها زملاؤها، مجلة العلوم الاجتماعية، 27 (1) : ص 73- 87.
22- شكري،شيرين، (2002).المرأة والجندر في الوطن العربي.في:المرأة والجندر:إلغاء التمييز الثقافي والاجتماعي بين الجنسين.(ط1)،(ص79-161)،سوريا:دار الفكر.
23- شوي،أورزولا، (1995).أصل الفروق بين الجنسين.(ط2).سوريا:دار الحوار.
24- شيفرد،ليندا، (2004).أنثوية العلم:العلم من منظور الفلسفة النسوية.ترجمة:يمنى الخولي،عالم المعرفة(306)،الكويت:المجلس الوطني للثقافة والفنون والآداب .
25- الصفّار،حسن، (2003).شخصية المرأة بين رؤية الإسلام وواقع المسلمين. (ط1).بيروت: المركز الثقافي العربي.
26- عثمان، إبراهيم، (1999). مقدمة في علم الاجتماع. (ط1). الأردن: دار الشروق.
27- عرابي،عبد القادر، (1999).المرأة العربية بين التقليد والتجديد.في :(مجموعة محررين/ات) ،المرأة العربية بين ثقل الواقع وتطلعات التحرر.(ط1)،(ص35-54) ، بيروت:مركز دراسات الوحدة العربية.

28- العزيزي،خديجة، (2005).الأسس الفلسفية للفكر النسوي الغربي.(ط1).بيروت:بيسان للنشر والتوزيع.
29- عضيبات،عاطف وبهو،روان، (2004).النوع الاجتماعي والتحول الديمقراطي في المنطقة العربية.ترجمة:عبد الله الشناق.(ط1).الأردن:المركز الإقليمي للأمن الإنساني في المعهد الدبلوماسي الأردني.
30- عقل،عبد اللطيف، (1988).علم النفس الاجتماعي.(ط2).عمان:دار البيرق.
31- عودة، محمود و عثمان، إبراهيم، (1989).النظرية المعاصرة في علم الاجتماع. (ط1). الكويت: ذات السلاسل للنشر والتوزيع.
32- الغذّامي،عبد الله، (1997).المرأة واللغة.(ط2).بيروت:المركز الثقافي العربي.
33- الغذّامي،عبد الله، (1998).ثقافة الوهم:مقاربات حول المرأة والجسد واللغة. (ط1). بيروت: المركز الثقافي العربي.
34- فريس،جنفييف، (2005).تأييدا لنوع الجنس. في:أنطوان أبو زيد(مترجم)،التذكير والتأنيث (الجندر).(ط1)،(ص:69-104)، بيروت:المركز الثقافي العربي.
35- الكتاني،فاطمة، (2000).الاتجاهات الوالدية في التنشة الاجتماعية وعلاقتها بمخاوف الذات لدى الأطفال.(ط1).الأردن:دار الشروق.
36- كلاّس،جورج، (1996).الحركة الفكرية النسوية في عصر النهضة(1849-1928). (ط1). بيروت:دار الجيل.
37- لطفي،سهير، (1993).وضع المرأة في الأسرة العربية وعلاقته بأزمة الحرية والديمقراطية. في:(مجموعة محررين/ات)،المرأة ودورها في

حركة الوحدة العربية. (ط3)،(ص119-149)، بيروت:مركز دراسات الوحدة العربية.

38- المساعد،نورة، (2003).علاقة الأم بالابنة من منظور نسوي.مجلة العلوم الاجتماعية. 31(3):707-729.

39- مكّي،عباس، (1993). شخصية المرأة العربية:الخصائص السيكولوجية للمرأة العربية. في:(مجموعة محررين/ات)،المرأة ودورها في حركة الوحدة العربية.(ط3)،(ص407-433)، بيروت:مركز دراسات الوحدة العربية.

40- مليكة،لويس، (1990).قراءات في علم النفس الاجتماعي في الوطن العربي.الجزء الخامس. القاهرة: الهيئة المصرية العامة للكتاب.

41- المومني،ماجد، (1993).دور المعلم في العملية التربوية.مجلة التربية.37(106):ص83-91.

42- ناصر, إبراهيم، (2004).التنشئة الاجتماعية.(ط1).الأردن: دار عمار.

43- نشابة،هشام، (1993).نظرة مستقبلية للتربية والتعليم وعلاقتهما بمشكلات المرأة العربية وإسهامها بعملية الانصهار القومي. في:(مجموعة محررين/ات)،المرأة ودورها في حركة الوحدة العربية.(ط3)،(ص437-470)،بيروت:مركز دراسات الوحدة العربية.

44- -44نيرانجانا،سيمانثيني، (2005).الجنس في وجهيه العام والخاص.في:أنطوان أبو زيد (مترجم)،التذكير والتأنيث (الجندر).(ط1)،(ص:121-153)، بيروت:المركز الثقافي العربي.

45- النيهوم،الصادق، (2002).الحديث عن المرأة والديانات.(ط1). بيروت:مؤسسة الانتشار العربي.
46- وطفة،علي والشهاب،علي، (2004).علم الاجتماع المدرسي: بنيوية الظاهرة المدرسية ووظيفتها الاجتماعية.(ط1).بيروت:مجد المؤسسة الجامعية للدراسات والنشر.
47- وليامز،سوزان، (2000).دليل أوكسفام للتدريب على الجندر. ترجمة:معين الإمام،الجزء الأول. (ط1).سوريا:دار المدى للنشر والتوزيع.
48- اليونيفيم، (2001).مفهوم النوع الاجتماعي.(ط3).عمان: مكتب غرب آسيا

*المراجع باللغة الإنجليزية:-

1- Badawi ,Zaki.(1978).A dictionary of the Social Sciences. Beirut: library of Lebanon.
2- Bem, S.L. (1981).Gender Schema Theory: A cognitive account of sex typing. Psychological Review, 88: 354-364.
3- Brown, R. (1986).Social Psychology, (2nded.).New York: The Free Press.
4- Bryson,Valerie.(1992).Feminist Political Theory. London: Macmillan Press LTD.
5- Butler,Judith.(2004).Undoing Gender.UK:Routledge.
6- Carlson,N.(1988).Discovering Psychology. Boston : Allyn & Bacon , Inc.
7- Chancer,Lynn,S. and Watkins,B.X.(2006).Gender,Race,and Class : An Overview. U.S.A.:Blackwell Publishing.

8- Crawford, Mary and Unger, Rhoda. (2000).Women and Gender: A Feminist Psychology. (3rd ed.).U.S.A.:McGraw-Hill Companies,Inc.
9- England, Paula.(1993).Theory on Gender: Feminism on Theory. New York: Walter de Gruyter,Inc.
10- Francis,A.C.,Waring,W.,Stavropoulos,P.,Kirkby,J.(2003).Gender Studies: Terms and Debates. New York: Palgrave Macmillan.
11- Giddens,Anthony.(2001).Sociology,(4th ed.).UK: Polity Press.
12- Govier,Ernest,(1998).Brainsex and Occupation. In : John Radford (editor), Gender and Choice in Education and Occupation. (pp.1-17), London: Routledge
13- Jackson,Stevi and Scott,sue.(2002). Gender: A Sociological Reader. London: Routledge.
14- Lindsey,Linda.L.(1994).Gender Roles. New Jersey: Prentice Hall.
15- Lorber,Judith.(1994).Paradoxes of Gender. New York:Vail-Ballou Press.
16- Matlin,M.(1996).The Psychology of Women,(3rd ed.).New York: Harcourt Brace College Publishers.
17- Oakley,Ann.(1998).Sex,Gender and Society.England:Gower House.
18- Ollenburger,Jane, C.,and Moore, Helena .(1992).A Sociology of Women: The Intersection of Patriarchy,Capitalism, and Colonization.New Jersey:Prentice-Hall,Inc.
19- Pilcher,Jane and Whelehan,Imelda.(2006).50 Key Concepts in Gender Studies.London:Sage Publications.

20- Sadker,David,Sadker,Myra and Klein,S.(1997).Constructions of Curriculum and Gender.Chicago:Chicago Press.
21- Smith,Dorothy,E.(2002).Doing Gender, Doing Difference: Inequality, Power, and Institutional Change. New York : Routledge.
22- Thompson,Audrey.(2003).Caring in Context: Four Feminist Theories on Gender & Education.Curriculum Inquiry.33(1):9 65.
23- Visser,Irene.(2002).Prototypes of Gender: Conceptions of Feminine and Masculine. Women's Studies International Forum, 25(5) , 529-539.
24- Walsh, Mary Roth.(1997).Women, Men & Gender. New York: Hamilton Printing Company,Rensselaer.
25- Wellstoncraft,Mary.(1975).A vindication of The Rights of Women.New York:Norton.
26- Wharton, Amys. (2005).The Sociology of Gender: An Introduction to Theory and Research.U.S.A.: Blackwell Publishing.
27- Wood, Julia, T.(1994).Gendered Lives:Communication,Gender & Culture.U.S.A.:Wadsworth,Inc.